一番やさしい オンラインサロンの 教科書

【2021年版】

市村よしなり。
Yoshinari Ichimura

はじめに

人はなぜ今、オンラインサロンを求めるのでしょうか？

現代は、世界中がオンラインへとシフトしている時代です。

そして、コミュニティもオンラインへとシフトしています。

そんな今、自分の趣味・趣向に合う者同士が、エリアを越えて繋がる理想のコミュニティとして現れたのが『オンラインサロン』です。

オンラインサロンとはいったい何なのでしょう？


本書は、7年間で累計5万人以上のオンラインサロンとメンバーのサポートをして分かったオンラインサロンの闇と光の部分や、オンラインサロンを最大限に活用し、人生を好転する方法についてまとめています。

失敗しないオンラインサロンの選び方や、まったくの初心者からサロンを自ら創ってみたい方にまで、必要な情報を網羅しました。

ぜひ、オンラインサロンの教科書として本書を活用してください。


オンラインサロンはきっと、あなたの人生をもっとワクワクさせてくれるはずです。

市村よしなり。

はじめに……3

第0章 今なぜ人はオンラインサロンを求めるのか

オンラインサロンが必須となる3つの理由……14
1. 出会いと交流はオンラインへシフトする……15
オンラインで繋がるゆるい仲間……15
『リア友』には無理がある……16
『ゆるいオンライン仲間』をつくろう！……17
最高のオンライン仲間と出会う方法……21
2. 学びはオンラインへシフトする……21
学びはオンラインが理想的な理由……21
●最高な講師が、ただ一人いれば良い……21
●いつでもどこでも学べる……23
●理解するまで何度でも学べる……23

もくじ

●圧倒的に費用が安くなる……24
新型コロナウイルスによって加速……24
●7割以上の学校もオンライン授業を導入……24
3. 仕事はオンラインへシフトする……25
変わる！　働き方……25
●リモートワーク（テレワーク）……25
●ローテーション勤務……26
●VRアバター出社……26
●ロボットを操作し、仕事をする……27
●私の会社……27
オンラインサロンのメリットとは？……29
趣味趣向が合う人しか集まらない……29
基本有料だから参加者が厳選されている……29
実名同士のグループだと安心……30

第1章
オンラインサロンとは

1. オンラインサロンとは何か 34
2. オンラインサロンは○○だ 36
3. なぜ9割のオンラインサロンが失敗しているのか? 38

第2章
失敗しないオンラインサロンの選び方

1. サロンの種類について 48
オンラインサロンは、すべてこの5つの型の組み合わせ 49
2. どんな人がサロンを運営しているのか 52
3. 実名だけ? それとも匿名OK? 53
4. プラットフォーム利用? それとも独自系? 55

もくじ

プラットフォーム利用　55
プラットフォーム利用のメリット&デメリット　56
独自系（プラットフォーム不使用）　57
独自系のメリット&デメリット　59
5. 良いサロンを見抜く方法　59
6. 値段はどれくらい？　どうやって決まるの？　61
7. 人数が多いサロン、少ないサロン、どちらが良い？　62
8. あなたにピッタリのサロンを探す方法　64

第3章 オンラインサロンの闇と光

1. 人間関係のトラブルが多い？　72
問題会員について　72
会員に何か売り込みされてしまうのではないか？　73

発足当初はカオスになりがち？ 73
実はリアルよりも良好な人間関係が構築できる 74
2. **オンラインサロンは何も学べない？** 74
3. **退会しにくいのでは？** 75
4. **新規メンバーは馴染めない？** 76
5. **使い方、活用の仕方がよくわからない？** 77
6. **いろいろと搾取される？** 78
7. **お金を払っていながらタダ働きをさせられる？** 79
8. **オンラインサロンって、怪しい宗教と同じじゃないの？** 81
9. **怖い!?　オンラインの仲間は信用できない？** 82
10. **8割が幽霊会員？** 83
どんな世界でも『2：8の法則』 83
『所属の欲求』を満たすことができる 84

もくじ

第4章 人生が10倍楽しくなるオンラインサロン活用法

1. まずオンラインサロン初心者が知っておくべき5つのこと …… 90
疎外感、場違い感を感じるのは当たり前 …… 90
自己紹介はとても大切 …… 90
●基本的には実名で …… 91
顔出しはしましょう …… 91
3秒で目に留まる、心に残る自己紹介 …… 93
やってしまいがちなダメなこと …… 94
自己紹介テンプレート …… 95
●挨拶をしてほしかったらまずは自分から …… 101
貢献の文化も知ろう …… 102
ROM専でもOK！ メリットにフォーカスする …… 103
2. オンラインサロンでやりがちな3つのNG …… 104

空気を読まない投稿 104
直メール 107
MLM・情報商材・政治・宗教・紹介ビジネスなどの勧誘、各種売り込みなどの迷惑行為 109
信頼残高（貢献ポイント）を貯めよう 110
●信頼残高（貢献ポイント）とは？ 111
オンラインサロンでは信頼残高（貢献ポイント）をリスクなしで貯められる 111
貢献ポイントが貯まると…… 113
ゆる〜く続けよう 114
●頑張りすぎない 114
リアルの価値は100倍に!? 115
オンラインサロンの醍醐味 117
●立ち上げから今までのオンラインのストーリーの共有 117

第5章

一番簡単なオンラインサロンの作り方

1. オンラインサロンの9割が失敗する …… 122
オンラインサロンを7年間運営&サポートしてわかった事実 …… 122
なぜ失敗するのか? …… 122
収益目的でやるのは、絶対にやめたほうがいい …… 123
2. 有名人やインフルエンサーの真似はしてはダメ …… 124
3. 最もやりがいがあり、楽しい仕事 …… 125
4. メンバーはたった3人からでもOK …… 126
5. 最も簡単なオンラインサロン立ち上げ方法 …… 127
3ステップでつくる一番簡単な方法 …… 127
●『コンセプトを決める』 …… 127
●『類似サロンをリサーチ』する …… 128
●『世間のニッチなニーズを満たすナンバーワンニッチをつくる』 …… 128

●Facebookグループをつくる 129
●まずは無料で招待する 130
6. 課金方法やプラットフォームを選定する 131
7. サロンオーナーであるあなたが最も成長できる 132
8. 最高の仲間を得ることができる！ 133

【column】

個人が会社を超えていく時代 31
オープンなSNSの時代が終わる理由 44
『個の時代』から『個の共創の時代』へ 66
お金よりも◯◯の時代 86
お金に代わる新しい価値 119
創造主（クリエイター視点）で生きる 135

おわりに 140
用語集 143
注目のオンラインサロンTOP10 151

第0章

今なぜ人はオンラインサロンを求めるのか

オンラインサロンが必須となる3つの理由

今、時代は、トップダウンのヒエラルキーの時代から、それぞれ一人ひとりが発信し合うフラットなコミュニティの時代へと大きな転換期を迎えています。

新しい時代は、自分の趣味趣向に合う者同士が、**エリアを越えて繋がる理想のコミュニティを活用する時代**です。

そんな新しい時代のコミュニティツールが『**オンラインサロン**』です。

従来の会社組織やエリアに特化したコミュニティは、これからどんどん崩壊していくでしょう。

仕事・学び・趣味・出会い……。今、すべてはオンラインサロンへとシフトしています。

そのような時代の中で、オンラインサロンが必須となる3つの理由を説明しましょう。

1 出会いと交流はオンラインへシフトする

オンラインで繋がるゆるい仲間

今までの**『友達とはリアルで会える人』**という友達の定義や必要性はなくなりました。

今、**旧時代の『友達』よりも、『オンラインで繋がるゆるい仲間』のほうが大切な時代**となっています。

これからは、何かに特化したニッチな趣味や趣向、価値観が合う者同士だけがオンラインで繋がっていきます。

また、より多分野にもなっていきます。さまざまな細分化された分野で繋がっていくでしょう。

さらに、〝ゆるい〟がカギとなります。お互いに依存せず、繋がりたいときだけ繋がり、繋がりたくないときには繋がらなくていい――そんなゆるさが大事です。

そして今、**オンラインでゆるく繋がる時代**が来ました。

『リア友』には無理がある

昔はご近所付き合いというのがあったので、リア友（リアルに会える友達）においては、選択肢がほとんどありませんでした。無理矢理、どうしてもご近所付き合いをするしかなかったわけです。

また、同じ学校や職場での友達が大事でした。

しかし、そもそも職場で友達をつくるのはよくありません。理由としては、ヒエラルキー組織の中での友達は、傷の舐め合いか打算的になってしまうからです。

例えば、一方が出世したとか、一方だけがお給料がいいとか、一方だけどんどん出世していく、みたいなことがあると、やはりその友達関係というのは崩れていきます。打算的なヒエラルキー組織の中では、どうしても打算的な人間関係になり、「本当の友達」にはなれないものです。

あと、学校では、確かに友達ができるかもしれません。でも、それもやはり、今の学校制度では、どちらが点数がいいか、どちらが上か下かと、どうしても比べられてしまいます。そういった中では、打算的な人間関係になりがちです。ヒエラルキー的な階層がつくられやすいものです。

また、価値観は多種多様です。リア友では限界があります。

細分化された価値観に合う人は、身の周りには、近くにはいないものです。

でも、**リア友は価値観を無理に合わせなくちゃいけない。だから、やっぱり無理がある**のです。

『ゆるいオンライン仲間』をつくろう！

オンライン仲間は、楽しいこと、ワクワクすることだけで繋がれます。

オンラインだからこそ、そういったことが可能になってきます。

リアルでは、友達は多くても100名までだと思います。「友達100人できるかな？」という歌もありましたが、顔や名前も100名を超えると一致しなくなり、リアルの交流も限界となるからですが、オンラインだったら1万人でもOK。

ゆるく繋がっていく、ゆるく所属していく、そういった繋がりの中でならば、**1万人でも仲間をつくることは可能**です。

●一度もリアルに会わないで親友はできます

「親友」というのが何かというのもありますが、すごく親しい、親しいなって思っている、そういった人を親友だとするならば、一度も会っていなくても、オンラインで何回もチャットやオンラインでのミーティングに参加してやりとりをしていけば、それは、いわゆる「親友」に匹敵します。

経験している人ならわかると思いますが、何度もオンラインでやりとりしたり、逆に、一方通行で動画を見ているだけでも、もう親友みたいな錯覚になることがあります。これは、テレビなんかにも当てはまりますね。テレビの場合は、1対何百万人とか、何千万人ですが、見ている側は友達感覚になってきます。それがオンラインだと、双方向でお互いに何回もやりとりをしていくうちに、どんどん親しくなって親友になっていきます。

●執着はしないこと

でも、**執着はしないほうがいい**でしょう。執着せずに、ゆるく付き合うというのが、オンラインのメリットです。お互いが執着し合うと、友達だから、親友だからこそ、こうするべきだ、こうして欲しいみたいな執着が生まれてきます。ですから、ゆるく、ゆるく繋がっていくほうがいいでしょう。

●仕事においてもメリットあり

あとは、仕事においてもメリットがあります。**SNSで5000人の自分に繋がるゆるいオンライン仲間（フォロワー）がいれば、自分が好きなことだけで十分食べていけます。**

これはどういうことかと言うと、例えばFacebook上で、5000人の友達がいるとします。無理矢理つくった友達ではなくて、ゆっくりと、自分の発信に共感する人や、所属するコミュニティ内で自然と繋がった友達なら、あなたが何をやってる人なのかオンライン仲間（フォロワー）は知っている状態になります。

自分はこんなことが好きで、こんな才能があるよと、SNS上でどんどん写真や記事をアップしていけば、オンライン仲間（フォロワー）の中に**必ずあなたのサービスに共感し、欲しがる人がいる**からです。

実例として、ある料理好きな女性はSNS上で自分が好きな料理の写真をどんどんアップしていました。すると、どんどんフォロワーが増えていきました。

ある日、自分の好きな分野である薬膳系の料理を無料で教えるイベントをやってみた。すると予想以上に人が集まった。今度はお金をいただいてやってみよう。

そんなふうに好きなことを発信していたら、いつのまにか大人気料理研究家として大活躍しちゃった……そんな人もいます。

最高のオンライン仲間と出会う方法

最高のオンライン仲間に出会うには、オンラインサロンに入ってみるのが一番いいです。詳しいことはあとの章でお伝えしますが、オンライン仲間が一番できやすい場であると言っていいでしょう。

2 学びはオンラインへシフトする

学びはオンラインが理想的な理由

●最高な講師が、ただ一人いれば良い

今、学びはオンラインへシフトしつつあります。

今までオンラインではなくて、リアルで学びをやっていた……例えば、学校や塾などで学んでいたと思いますが、今、「学び」はオンラインが理想です。

なぜかと言うと、最高な講師がただ一人いれば、それだけで最高の学びを提供できるからです。

要するに、講師のレベルが、オンラインのほうが高いと言えるからです。その分野でナンバーワンの面白い講師が一人いれば済みます。

授業というのは、面白くないと身につかないですよね？　ただ教えるだけ、ただその教科書を読み上げるだけというものは、今でいうYouTube世代とかには退屈でしょうがないはずです。

学校の先生よりも、人気のオンライン講師は面白いわけです。教え方もずば抜けて上手い。そして、そのレベルが日本一であれば、その人が、1対無限大に教えているほうが、はるかにいい授業を多くの人に提供できるわけです。

これは、完全にオンライン上だからできることです。

●いつでもどこでも学べる

また、いつでもどこでも学べます。今までは、時間と場所に制約されていました。それがもう時間と場所には制約されない時代になってきたのです。

今、まさに有名大学もオンライン化へという流れが起きています。地方だけでなく、国を越えて、今までは「遠いから……」「下宿するとお金がかかるから……」といって諦めていた人も、オンライン上で繋がれるようになったことで、行きたい大学に入学し、単位を取って、卒業することも可能になりました。

●理解するまで何度でも学べる

さらに、「理解するまで何度でも学べる」ということが非常に大きいです。反復して学ぶということが一番身につくと言われていますが、今までのリアルの学校では、1回は教えてくれても、そこを反復して学ぶことにはフォーカスしてきませんでした。だから、録画という概念はなかったわけですね。

けれども、今は、YouTubeなどの動画があり、何回も何回も学ぶことができる。何回でも見ることができるというのは、理解度を上げるために非常に有効です。

●圧倒的に費用が安くなる

それと、圧倒的に費用も安くなります。例として、講師が100人程を指導する学校や塾が一人年間100万円の授業料をもらっていたとします。学校の収益は1億円になりますね。

一方、オンラインだと講師一人で1万人へ講義を配信することも可能です。

そうすると、授業料は圧倒的に安くなります。一人年間1万円の授業料でも、その学校が得る金額は同じ一億円になるわけですから。

これまでリアルで100万円かかっていたものが、オンラインでは1万円で済んでしまう、という時代が来ているわけです。

新型コロナウイルスによって加速

●7割以上の学校もオンライン授業を導入

そして、この動きは新型コロナウイルスによって加速します。

現在、7割以上の学校が今オンライン授業を導入したと言われています。それほど今オンライン化が進んでいます。

だからこそ、オンラインでさまざまな分野を仲間とともに学べる、オンラインサロンの有益性が注目されているのではないでしょうか。

3 仕事はオンラインへシフトする

変わる！　働き方

●リモートワーク（テレワーク）

今、リモートワーク、テレワークがどんどん導入されてきました。

利用者が3億人を超えたオンラインコミュニケーションツールとは何でしょうか？

それは「ｚｏｏｍ」です。２０２０年4月には3億人に達し、前年からいうと30倍に急増しています。

このようなことからわかるように、どんどんどんどんテレワークが進んでいます。日立なども在宅勤務を標準勤務にしています。

●ローテーション勤務

東芝は週休3日制度といったローテーション勤務を始めました。ローテーションで休んでいこうという働き方もどんどんと増えていくでしょう。

●VRアバター出社

最近はVRの「アバター出社」というのもあります。「eXp Realty」という米国の不動産会社では、会社にバーチャルで出社し、バーチャルアバターを使ってコミュニケーションをとります。ちなみに、株価が3倍になったと言われています。

バーチャルで生活してみようというゲームの先駆け「セカンドライフ」が2003年に登場していますが、今、「どうぶつの森」や各種オンラインゲームの中だけで生活するような人も増えて来ています。VRの「アバター出社」も、当たり前の世界へと進化していくことでしょう。

●ロボットを操作し、仕事をする

今や、ロボットを操作し、仕事をする人まで現れてきました。ロボット家政婦というのがあるのですが、ロボットが家事をやるわけではなくて、実はロボットをリモートで在宅勤務の人間が操作しています。

このように働き方は、どんどん進化しています。これからの働き方は、オンラインへとシフトしていきます。

そして、**時代は、集団から個の時代へ、そしてさらにオンラインを使い、個と個で繋がる時代へとシフトしています。**だからこそ、**オンラインサロン内で行う、個の共同ワークが、これからの働き方のデフォルト、標準となっていく**と思います。

●私の会社

私は今、**会社を5社経営しているのですが、なんと正社員は0人**です

20年前からリモートワークだったこともあり、現在50名程のスタッフやパートナーの中で、リアルに会ったことがない人が結構います。一度も電話やオンラインですら会話して

くれないプログラマーもいます。そういう人程、優秀だったりします（笑）。

そして、日本だけでなく、シンガポール等でも会社を経営しています。会社も多国籍ですが、スタッフも国内では、北海道、大阪、東京、沖縄……。海外では、シンガポール、アメリカ、イギリス……等、世界中に散らばっています。

以前は、何百万円もかけて求人を出してスタッフを採用を毎年行っていましたが、今ではオンラインサロン内で募集をしたり、積極的にオンラインで手伝ってくれる人に直接依頼をしたりしています。

求人を出していた頃よりも、同じ価値観を持ち、理念を持った素晴らしい人たちがたくさん集まるようになりました。また、出資をしたり、パートナーとして会社をともに立ち上げることもあります。

オンラインサロンのメリットとは？

趣味趣向が合う人しか集まらない

では、オンラインサロンのメリットとは何でしょうか？

オンラインサロンに所属すると、メンバー同士はゆるい仲間になっていきます。

そもそも、趣味趣向が合う人しか集まりません。だからこそ、非常に価値観が合いますし、話が通じやすいという特徴があります。

基本有料だから参加者が厳選されている

そして、基本的に有料だからこそ、参加者が厳選されているということも言えます。これが無料のコミュニティの場合、ある意味大変な人……質が悪い人たちがいることがあるのですが、オンラインサロンには、かなり質が高い、ある程度意識が高い人たちが集まっていると言っていいでしょう。

実名同士のグループだと安心

そして、基本的には実名同士のFacebookグループだと安心です。これがTwitterや匿名でのオンラインコミュニティとなると、荒れがちです。匿名のコミュニティや、Twitterのフォロワー同士では、言いたい放題になり、非常にネガティブな言葉で溢れかえる場合があります。

けれども、Facebookの実名同士でのやりとりですと、自分の名前を出して、顔を出しているわけですから、基本的に変なことは言いませんし、責任を持って発言していますので、安心感がありますね。

個人が会社を超えていく時代

今は、個人が会社を超えていく時代です。

今までは、個人よりも大企業のほうが体力がありました。

その圧倒的な体力によって、個人や小さな会社は、どうしても影響力がなく、どんどん潰れてしまう……そういうことが多かったように思います。でも、大企業よりも個人のほうが小回りが効くという良さもあります。

今、大企業には対応できない程の、大変革時代となりました。

まさに個人が光る時代だと言えるでしょう。

また、大企業の理念というのは大きすぎて、理念がアバウトになってしまいます。だけど、個人の理念というのは明確です。理念をすり合わせることもなく、明確にとんがったものができます。だから個人や小さな会社にはパワーがあります。

あとは集合的な力です。昔であれば、個人よりも大企業のほうが力がありました。けれども、今はエキスパートな個人たちのコラボ、個のコラボのほうがパワーがあるように思います。

なぜかと言うと、ある趣味趣向や価値観に合う人同士が集まったオンラインコミュニティにおいては、**個の繋がりによって非常に大きなパワーを発信する**ことができるからです。

ただし、会社は辞める必要はないと思います。まずは副業からでいいと思いますが、会社に自分のスキルを売る、経営者としての意識というのが、これからの時代、大事になってくるでしょう。

「会社」というトップダウン&ヒエラルキー時代の象徴であった仕事の形が崩壊し、個人が自分の才能を交換し、成り立つ社会へと変わっていくと思います。

自分の趣味趣向に合う者同士がエリアを越えて繋がるオンラインサロンのような新しいコミュニティの中で、貢献し合うことを「仕事」と呼ぶようになるでしょう。

第1章

オンラインサロンとは

❶ オンラインサロンとは何か

オンラインサロンとは、双方向型のオンライン会員制コミュニティのことをいいます。

これは従来のサービス、リアル会員制コミュニティやファンクラブ、そしてオンラインスクールとはどのように違うのでしょうか。

オンラインサロンは、従来のファンクラブにはない、オンラインでのメンバー同士の交流ができます。

ファンクラブは、人気だと数万人規模のところもありますが、メンバー同士の交流というのは、ほぼありません。

一方通行、一方的に会報誌などが送られてくる、そういったものが主になります。

しかし、オンラインサロンは違います。

従来のリアル会員制コミュニティではできなかった『オンラインでの参加、交流』がで

サービスの特徴比較

種別	オンラインサロン	リアルの会員制コミュニティ	従来のファンクラブ	オンラインスクール
オンラインでの参加	◎	×	×	◎
メンバー同士のオンライン交流	◎	×	×	△
継続的	◎	◎	◎	×

きるのです。

リアルな会員制コミュニティにも、メンバーシップ型のさまざまなコミュニティがありました。

しかし、オンラインではなかなか参加もできませんし、交流もできなかったのですが、オンラインサロンではオンラインで交流ができる、という点が違います。

そして、オンラインスクールではできなかった『継続的な学びや交流』ができます。

オンラインスクールは、少しオンラインサロンと似ているのですが、交流にはあまり特化していません。交流がないオンラインスクールというのもあります。

また、あるカリキュラムを終えると基本的にはそこで終わり、となるので、継続的な学びではないということになります。

そういった意味で、オンラインサロンというのは、オンラインでの参加ができ、そしてメンバー同士のオンライン交流ができ、そして継続的に参加ができる。そのような点が、他のサービスとの違いだといえるでしょう。

2 オンラインサロンは○○だ

『○○』には何が入るでしょうか、考えてみてください。

ある方は「町」だと言いました。

これを言ったのはどなたかというと、現在会員数7万人、日本最大のオンラインサロン『西野エンタメ研究所』を運営する、お笑い芸人そして絵本作家でもあるキングコング西野亮廣さんです。

「オンラインサロンは〝町〟である」

「ひとつの町のように、さまざまな行事や性格の違う人々が集うオンラインサロン。町が住人から税金を集めてよりよい町づくりをするように、集まったメンバーの会費をサロンメンバーのために使い、自分も楽しみ、そのメンバーにも最大限に楽しんでもらいたい」

と西野さんは言っています。


そして、「鍋」だと言った方がいます。

これは、YouTube登録者数が200万人を超え、オンライサロン『PROGRESS』を運営するお笑い芸人の中田敦彦さんがおっしゃった言葉です。

「いろいろな味、ダシを持つ人が、ひとつの鍋で煮込まれることで生まれる、ミックスされた新しく予想外の味を楽しむのがオンラインサロンだ」

と中田さんは語っています。


また、「綿アメ」と言った方もいます。

これは、著書累計800万部を超えるベストセラー作家で、会員数約8000人のオンラインサロンを運営する本田健さんがおっしゃっています。

「最初、綿アメの棒の役割をするのがサロンのオーナーである。サロンの理念やサロンオーナーの価値観・未来に共感、共鳴し、綿アメの棒のもとに集まる綿がサロンメンバーである。やがて、綿アメの最初の棒のことなんか忘れてしまうくらいに、オーナーがいなくてもメンバー同士がコミュニティを楽しんでもらうのが理想だ」

と本田健さんは語っています。

3 なぜ9割のオンラインサロンが失敗しているのか？

実は、**9割のオンラインサロンが死んでいます。**

これまでたくさんのオンラインサロンを私は見てきました。そして、たくさんのサロンをサポート、運営してきたことでわかったことですが、9割のオンラインサロンは失敗というか、盛り上がっていません。

本当に盛り上がっていないサロンが多いのです。

これは、一度でもオンラインサロンに入られた方はわかるかもしれません。

ですが、逆に1割はすごく活性化していて、とっても楽しいのです。

活性化しているサロンというのは、実際にどんな感じなのでしょうか。

現在会員数が３３００人以上いる『スターシードオンラインサロン』を例にご紹介したいと思います。

このサロンが３０００人の時に、１か月あたりの盛り上がりがどれぐらいあったのかを集計してみました。

この盛り上がりは、いろいろということはできますが、投稿数、コメント数、リアクション、その辺を合計した数字で見てみました。

合計で２万２０００。会員数３０００に対して２万２０００というのは、かなり多いわけです。

１人頭に換算しても、１人が何回も何かしらのコメントやリアクションをしてくれている、というふうにいえます。

これを『エンゲージメント』と言います。

なぜそんなに盛り上がっているのでしょうか。

これは多くの盛り上がっているサロンでやっていることですが、代表としてひとつ例を挙げましょう。

それは『「ｚｏｏｍ」などで**オンライン交流をしている**』ということです。

この『ｚｏｏｍ』が盛り上がりのカギになっています。

やはり、サロンのオーナーに直接繋がる、メンバー同士で直接繋がることができる、というのがオンラインサロンの魅力であり、多くのサロンがやっているコンテンツになります。

このコンテンツがあると、オンラインミーティングのように『双方向』に盛り上がることができるのです。


また、『**分科会**』というものをやっているサロンも結構あります。

オンラインサロンはエリアを越えて、オンラインで全国、世界中と繋がっています。

その中でも、やはり同じ地域、同じエリアに住んでいる人同士というのは、盛り上がりますので、エリア別の分科会というのがあります。

そして、ジャンル別の分科会もあります。

これは、サロンの中でさらに細分化された趣味やプロジェクトを含め、さまざまなジャンル別で分科会が作られます。

この分科会はかなりコア、マニアックな分野なので、サロン本体よりも盛り上がる場合もあるほどです。

そして『**プロジェクト**』です。

『プロジェクト』もやはり、盛り上がりのひとつのきっかけとなってきます。

『スターシードオンラインサロン』を例に挙げたいと思います。

このサロンでは、リアルの『カフェを創ろう』というプロジェクトを立ち上げました。

これにより、「カフェをゼロからつくり上げていく」という過程を一緒に共有しながらやってきました。

カフェをつくり上げていくスタッフやカフェのデザイン、そして運営までのすべてを、サロンのメンバーがやっていくわけです。

そして、オンラインサロンということで、リアルの場所だけではなく、バーチャルでもカフェをやっていこうという、『バーチャルお茶会』なども一緒にやることで、オンラインで参加する人もどんどん増えてきています。

また、サロンメンバーが自ら立ち上げていく『フェス』というのもやっています。もちろんオンラインで、です。

2020年5月のイベントでは、3万人もの方がライブ視聴してくれました。

また『出版』プロジェクトも行いました。

本の企画からコンセプト、そして表紙のデザイン、キャラクターのデザインまで、すべてをオンラインサロンメンバーで一緒にやっていく、というものです。このサロンで創った本も、今は重版が5回目になりました。

あとは、独自の『フリマ』というものも、つくっています。

これは、サロンメンバーが自由に出品できる、いわゆるオンラインのフリーマーケットです。

一般の方も買うことはできますが、出品ができるのはサロンメンバーのみとなります。

そして売り買いはお金ではなく独自のポイントを使用してのやりとりになります。

そのポイントで売り買いをしていくことで、循環型のコミュニティというものが生まれています。

ここまで、オンラインサロンとは何か、という話をしてきました。
このあとでまた、細かくいろいろなサロンの話をしていきたいと思います。

オープンなSNSの時代が終わる理由

「SNS疲れ」という言葉があります。

Facebookは昔、一部の人だけが使うニッチなSNSでした。

今では多くの人がSNSを始め、FacebookしかりTwitterしかり、SNS単体では限られた人たちだけのコミュニティの役割を果たさなくなりました。

さらに、Facebook友達も数千人を超えたとなると、クローズドの意味を持たなくなります。

フォロワー数が一定数を超えた段階で属性がぼやけます。

そんなSNS上での情報は薄っぺらく、情報を受け取る側も情報を発信する側もどんどんと疲れていくわけです。

YouTubeも、登録者数を伸ばすためには、ニッチすぎず、マスなテーマを扱うようになってしまいます。

登録者数が多くなればなるほど、登録者の属性がぼやけてしまうのです。

そんな中で、情報発信者はどんどんと本当の意見を言うことができなくなってしまいます。

マスに対する尖った意見は、反応が薄いか、しばしば誤解や炎上を生んでしまうからです。するといい、誰に対して情報発信するのかも見えにくくなっていき、どんどん薄っぺらい情報になってしまいます。

そして、コアなフォロワーは離れていき、情報発信者のモチベーションも落ちていきます。

このように、**SNS成熟期ともいえる今、情報発信するインフルエンサーは近年どんどんと自らのコミュニティ内だけで本当の意見を言う**ようになってきました。

そして、情報発信者の価値観に共鳴し、お金まで払う意識の高い人のみが集まるのがオンラインサロンというわけです。

だからこそ、オンラインサロンオーナーも本気の意見をぶつけ、エネルギーを最大限に注ぐのです。

会員制でクローズドな場だからこそ、会員同士も本気の意見を出し合うことができ、た

くさんのドラマが生まれ、そのオーナーや仲間とともに成長していくことができます。

今、オープンなSNS上の情報には価値がない。

だからこそ、尖った価値ある情報、お金を出してまで欲しい価値ある情報というのは、もうクローズドなメンバー制の場で、というふうに変わってきているのです。

YouTuberも、YouTubeの会員制、もしくはオンラインサロンへと、コアな情報をシフトしていっています。

インフルエンサーもほとんどがそういった方向へシフトしている。そんな時代だからこそオンラインサロンの存在意義が高まっているのです。

第2章

失敗しないオンラインサロンの選び方

❶ サロンの種類について

オンラインサロンには5つのタイプがあります。

・ファンクラブ型

これは『サロンオーナーのファンが集う場所』というものです。

昔からあった従来のファンクラブ、そのオンライン版といったところになります。

・情報提供型

これは『特定の学びをしたい人向け』になります。

「何かを習得したい」「何かの情報を得たい」、そういった人たちが集うサロンが『情報提供型』になります。

・**問題解決型**

これは『カウンセリングやコンサルが受けられる』というのが特徴になります。

・**ラボ型**

これは『情報・研究・公開の場所』になります。

研究所みたいなものをイメージしていただければわかりやすいかと思います。

それのオンライン版といったところです。

・**サークル型**

これは『共通の趣味や価値観を持つ仲間が集う場所』になります。

たくさんのジャンルやたくさんのニッチな趣味・嗜好、それぞれの仲間が集う場所です。

オンラインサロンは、すべてこの5つの型の組み合わせ

逆に言うと、どれか1つだけの型のサロンというのはないと思っていいでしょう。

オンラインサロンの5つのタイプ
（すべてこの組み合わせでできている）

タイプ	特徴
ファンクラブ型	サロンオーナーのファンが集う場所
情報提供型	特定の学びをしたい人向け
問題解決型	カウンセリングやコンサルが受けられる
ラボ型	情報・研究・公開場所
サークル型	共通の趣味や価値観を持つ仲間が集う場所

例えば、カリスマ的なカウンセラーは、『ファンクラブ型』と『問題解決型』の2つを組み合わせたオンラインサロンを構築しています。

カウンセラーであれば、サロンに集まってきたメンバーの悩みを解決していきますし、そのカリスマ性によってファンである人たちも集まってくるでしょう。

またビジネス系YouTuberであれば、『ファンクラブ型』と『情報提供型』という形になります。

そのYouTubeのファンが集い、その方が発信する情報をたくさん得たいという人が集まってくるからです。

そして、人型ロボットの研究・情報共有のサロン、有機農法の情報共有のサロン、最新医療機器の情報共有のサロンなどは『ラボ型』になりますが、同時に『情報提供型』

でもあったり、『サークル型』でもあったりします。

情報を得たい人が集まり、お互いに研究を発表していく場でもありながら、楽しいサークル的な活動もある、そういったものになるのです。

そして、起業したい人が集まるサロンというのは『情報提供型』そして『問題解決型』『ラボ型』『サークル型』ということになります。

起業したい人が集まるオンラインサロンというのは、概してこういう形になります。

情報もほしい、問題の解決もやってほしい、そしてラボのようにお互いの情報を発表していきたい、さらにできるならサークルのように楽しんでいくコミュニティの役割もしてほしい……そのような要望から、このような形になるわけです。

このように、オンラインサロンはすべて5つの型がそれぞれの用途に応じて組み合わされて構成されているのです。

2 どんな人がサロンを運営しているのか

まず挙げられるのが、インフルエンサーです。

YouTuberやブロガー、インスタグラマーなどで、サロンにはその人のファンが集まってきます。

また、芸能人やアーティストなども多いです。

昔からあるファンクラブがオンラインサロンへと進化した形です。

あとは、著者や文化人。

彼らの作品が好きな人や、価値観に共鳴した人が集まってきます。

それから、講師や専門家などもオンラインサロンを始めています。

今までは、セミナーや講座を単発で行うだけでしたが、受講生を継続的にフォローしたり、受講生がアウトプットし交流できる場所としてオンラインサロンを活用しています。

あとは、コンサルタントやコーチ・カウンセラーといった方もいます。

このような方々は、オンラインによるグループコンサルやコンテンツのシェアの場所としてオンラインサロンを活用しています。

また最近では一般人も増えてきています。

サロンオーナーの趣味や、サロンオーナー独自のコンセプトの小規模なオンラインサロンがたくさん増えてきています。

3 実名だけ？　それとも匿名OK？

ほとんどのサロンが、実名利用です。

その理由としては、実名利用によって責任ある発言と交流ができ、炎上などもなく安全、そして会員制コミュニティとしても安心感があるからです。

また、オンライン上でメンバー同士が仲良くなりやすく、オンライン仲間をつくりやすい、という点もあります。

そして、実名ならばリアルの交流や仕事にも繋がることがある、ということで、ほとんどのオンラインサロンが実名利用になっています。

そういったサロンは、実名利用ではないとダメ、いうところが多いです。

あと、ソーシャルで繋がりやすい仕組みを持つFacebookのグループ機能を使うことができる、ということも、実名利用の大きな理由のひとつになっています。

Facebook上で簡単に繋がれて、実名で安心感がある利用ができるからです。

なので、9割方のサロンがこのFacebookのグループ機能を使っています。


もちろん、匿名がOKなサロンもあります。

実名や写真などを出さなくてもいいので、悩み解決やメンバー同士の交流があまり必要ないサロンが採用しています。

そのため、交流が苦手な人でも利用しやすく、発言のハードルも低くなる、という特徴があります。

デメリットとしては、オンライン上での仲間をつくりにくいこと、リアルでの交流や仕事に繋がることが少なくなること、です。

匿名なので、Facebookは利用しません。

最近はこういった匿名OKのオンラインサロンも増えてきています。

4 プラットフォーム利用？　それとも独自系？

プラットフォーム利用

プラットフォーム利用の場合で、一番有名なのは『DMMオンラインサロン』です。『DMMオンラインサロン』では、Facebookグループ又は、独自ツールを使うこともできます。

独自ツールを使用する場合は、匿名利用もOKになります。ですから、Facebookグループを利用するサロンでは実名になりますし、独自ツールを使うサロンであれば、匿名がOKになります。

DMMオンラインサロンの特徴をまとめると、

①オンラインサロンプラットフォームの知名度ではナンバーワン
②芸能人や有名人や文化人のサロンも多い
③決済方法が多く、匿名利用できるサロンがある

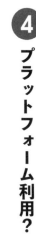

といった特徴となります。

次に『CAMPFIRE』。

こちらでは、Facebookグループを基本的に使うことになります。

特徴としては、オンラインサロンの数がナンバーワン、という点です。

実に1000以上のサロンがあり、バリエーションも豊富です。

プラットフォーム利用のメリット&デメリット

メリットとしては、一定のプラットフォームの基準を満たしたサロンしかないため、安心な点です。また、決済関連のサポートや決済方法がたくさんあるので便利、という点が挙げられます。

あと、アカウントが既にある場合は、簡単に登録ができる、という点です。

そして、困ったときのプラットフォーム側へ問い合わせができることもメリットです。

デメリットとしては、プラットフォームがなくなる場合もある、ということでしょう。

過去には『Synapse』というオンラインサロンのパイオニアサイトがあったのですが、なくなってしまいました。

今は『DMM』が引き継ぎましたが、一部引き継がないというところもあったようです。

また、プラットフォームの制限があり、自由度があまりないというのも、デメリットかもしれません。

独自系（プラットフォーム不使用）

もうひとつ、プラットフォームを使わない独自型があります。

基本的にはFacebookグループを使うサロンが多いですが、チャットツールを使うところもあります。

LINEのオープンチャットというLINEの拡張機能を利用してオンラインサロンを運営しているところもあります。

LINEのオープンチャットでは、匿名利用がOKで、LINEアカウントとは異なるプロフィール設定ができます。

通話機能は削がれているので安心です。

また、途中参加しても参加以前のトーク履歴を見ることができます。

普通のＬＩＮＥのグループチャット機能を使ってしまうと、途中のトークが読めなくなってしまいますが、このオープンチャットでは見ることができます。

あと、通常のＬＩＮＥグループはメンバー500人までのところ、オープンチャットではメンバー5000人までなので、参加者がかなり増えてきても、メンバー全員を見ることができます。


また、チャットワークやスラックなどを使うところもあります。

仕事でメールを利用せず、ビジネスチャットツールを利用する会社や個人も増えてきましたが、従来のメールよりもレスポンス性があるという特徴を活かして利用するビジネス系のオンラインサロンなども増えてきました。

ビジネス系サロンには、有益な使い方になると思います。

独自系のメリット&デメリット

独自系はサロンオーナーが自由に開設できるので、自由度が高いというメリットがあります。

国内最大のオンラインサロンである、西野さんがサロンオーナーの『西野亮廣エンタメ研究所』も独自系になります。

デメリットとしては、プラットフォームの審査がないため、運営がしっかりしていないサロンもあることです。また、決済手段のバリエーションが少なく、限られている場合もある、という点もデメリットになります。

5 良いサロンを見抜く方法

良いサロンを見抜く方法はいくつかあります。

・コミュニティメンバーが活躍しているかどうか

やはり良いサロンというのは、サロンオーナーだけが頑張っているというよりも、サロンの中で活躍するメンバーを応援したり、育てていくということをやっています。

ですから、サロンメンバーが活躍したり、どんどん成長したりしている姿が見えるサロンというのは、非常に良いサロンだと思います。

・オンラインメンバーに価値がある

すごくユニークな、面白い人が集まっているサロンがあります。

有名な人がいたりするサロンもあります。

こういったサロンメンバー自体が本当に面白いな、というサロンには価値はあります。

・オンラインサロンのオーナー自身が常に新しいことにチャレンジしている

やはり、オンラインサロンの醍醐味でもある、常に進化・成長することをオンラインサロンオーナー自身がやっているかどうかというのは、非常にポイントになってきます。

どんどん何かチャレンジをしているサロンというのは、面白いサロンであると思います。

・価値が循環するコミュニティであるかどうか

オンラインサロン内に循環の仕組みがあると望ましいです。

例えばサロンメンバーがスキルを交換したり、情報交換したりできる仕組みがあり、価値を循環できるコミュニティを運営しているなら、それは非常に良いオンラインサロンであるといえます。

6 値段はどれくらい？　どうやって決まるの？

オンラインサロンの会費は、月額数百円から数十万円まで幅広いです。

安いところは、月額１００円というサロンもあります。逆に高いところになると、10万円というところもあります。

少人数の専門性があるサロンというのは、月額が高めになります。

逆に『広く、浅く』となると対象者が多くなりますので、たくさんの人を集めるために値段は安く設定されます。

だいたい980円～1万円といったところが多くなっており、アベレージとしては3000円ぐらいではないかと思います。

一方で、無料のサロンもあります。

しかし、敷居が下がりすぎるとサロンメンバーのやる気やモラルを保つことが難しいため、かなり荒れてしまう場合があります。

一定の人しか集まらないというところに、オンラインサロンの価値があるということもいえますので、あまり無料のサロンはお勧めできません。

7 人数が多いサロン、少ないサロン、どちらが良い？

グループコンサルなどがある問題解決型のサロンでは、人数が多すぎると物理的にサロンオーナーから直接アドバイスなどを受けることができなくなります。

ですから、そういう意味では少人数がいいでしょう。

一方で、サークル型やファンクラブ型であれば、ある程度人数が多いほうが、エリア別の分科会（いわゆるサークル）の地域のオフ会などで仲良くなったり、サロン内のジャンル別の分科会などでさらに趣味・嗜好が合う人と交流できたりする可能性が高くなります。

ですから、人数がたくさんいたほうが、もっともっとコアな、もっともっと価値観が合う人と出会える可能性が高くなるので、参加者は多いほうが良いでしょう。

また、人数が多いほうが、予算も大きくなりますので、面白いプロジェクトが生まれやすい状況にもなりますし、コンテンツの質も高くなる、ということがあります。

オンラインサロンの予算がたくさん集まってくると、それを使ってコンテンツのクオリティを高くしていけますので、そういったメリットもあります。

そして、人数が多いほうが、より気が合う人と出会えたり、お仕事に繋がったりするオンライン上のマッチング率が上がると言えるでしょう。

8 あなたにピッタリのサロンを探す方法

自分に合ったサロンを探すには、大きく3つの方法があると思います。

まず1つめ、『サロンオーナーの価値観に共感するか』。

サロンオーナーの価値観に共感しないのに、その人が運営するサロンに入っても面白くありません。

ですから、価値観に共感できるかどうかは、とても大事になってきます。

2つめは『サロンの文化が肌に合うかどうか』。

サロンオーナーの価値観に共感しているなら、そのサロンの文化にも、大抵は馴染めるものです。

しかし、入ってみると「ちょっとこのサロンは肌が合わないなぁ」感じる時もあるでしょう。

結局、入らないとわからないので、『試してみよう』ぐらいの軽い気持ちで、まず入ってみることをお勧めします。

3つめは『一時的な話題性や盛り上がりよりも、長期的な居心地の良さ』。

一時的にサロンが盛り上がり、参加する人が増えるというときがあります。

そういったときに入ると、すごく盛り上がっていたなと思っても、それは一時的なもので、やはり盛り下がるときもあります。

そういうところを見て判断するよりも、オンラインサロンというのは長期的な居心地の良さが大切なのです。

やはり一時的なものではわかりません。

オンラインサロンというのは、一緒に成長していく、一緒にストーリーをつくっていく、歴史をつくっていく……それがとても面白いのです。

そして、そこに所属することの居心地の良さが大事なポイントになります。

ですから、長期的に居心地が良いかどうか、で判断してみるのが良いと思います。

『個の時代』から『個の共創の時代』へ

インターネットの到来で、この20年間で時代は『個の時代』へと変化してきました。

私自身も、大企業を辞め、個人として起業・独立し、「いかに個の時代を生きるか」を研究、実践してきました。

しかしながら、近年『個の時代』の終焉を感じています。

知り合いの複数のフリーランスも、「1人では稼げない時代だ」と言っています。


今、YouTuber、インスタグラマー、ブロガー、フリーエンジニア……など、個で活躍する人々が増えてきました。

企業を超えるほどの影響力を持ち、億を稼ぐ個人も生まれてきました。

会社に雇われることなく、自分が好きなことだけで生きていく。

確かに、それは理想的な生き方です。

私自身も、この理想的な生き方を実現するために、自らが実践し、その方法をたくさんの人にシェアしてきました。

個だけでは限界の時代がきた

しかし近年、個で仕事をして稼いできた人たちにも、変化、異変が起きています。インターネットによって個でスキルを売ったり表現することができるようになり、多くの人が個で仕事をし始めました。

20年で市場は成熟し、競争は激しくなり、圧倒的な力を持つフリーランスを除き、個だけで稼げる時代はすでに終わっているといえます。

もう、個だけでは稼げない時代となってきたのです。

個の共創の時代へ

個々の得意なスキルを出し合い、それぞれが力を合わせて1つのプロジェクトをつくりあげていく。

今、『個の時代』は終焉を迎え、『個の共創の時代』となりました。

自立した個人がインターネットを通じて繋がり、チームで何かをつくりあげる時代となったのです。

毎回プロジェクトごとにチームを組み、取り組むことになります。

その時、最も必要となるのが、チームメンバーが価値観や世界観を共有できることです。

しかし、これが最も難しいことだと感じます。

今まで会社というものが、この世界観や価値観をある程度までまとめてくれていたので、社員はチームとなりプロジェクトを進めることができました。

オンラインサロンが個の共創の場になる

今の時代は、オンラインサロンが『個の共創の場』になりました。

オンラインサロンは、個で共創するための最適な場所であるといえます。

最も難しいといわれる、共通の価値観や世界観をすでに共有しているメンバー同士が集まっているため、とてもスムーズにプロジェクトが進みます。

私の運営するオンラインサロンでも、サロン主体のプロジェクトはもちろんですが、メンバー同士が自由にさまざまな共創による数え切れないほど多くのプロジェクトが進められています。

この『個の時代』というのは、『競争』（戦いとか争いのほうの競争ですね）の時代だったと思いますが、『個の共創の時代』というのは争わない、どちらかというと一緒につくりあげていく、そういった『和の時代』ともいえるかもしれません。

この『共創』ということができるのは、個人が本当に自立していないとできません。

ですから、単に歯車の中の1つの部品的に何か仕事をするという時代でもありません。

個というのは、本当に自分の得意なこと、自分ができることが本当にわかっている状態、自立してる状態で、その個がお互い一緒になって、コラボレーションでつくりあげていく時代、それが『共創の時代』だと思います。

第3章

オンラインサロンの闇と光

❶ 人間関係のトラブルが多い？

オンラインサロンを始めるにあたり、初心者の方が懸念する問題についてお話ししたいと思います。

問題会員について

問題会員、これは確かに一定の割合でいます。

実際、１％ぐらいの割合でいると思いますが、この数字はリアルのコミュニティよりも少ないです。

リアルのコミュニティであれば、問題会員の割合は５％くらいと言われています。やはり有料で集まっていて、実名で参加していること、そしてサロンに報告しようと思ったら簡単に報告できるので、従来のコミュニティやリアルのコミュニティよりも問題会員は少ないと思います。

会員に何か売り込みされてしまうのではないか？

会員から何か売り込みをされるのではと、不安を持っている人もいるでしょう。

自分の宣伝ばかりする人、いきなり直メールを送ってくる人がいることは、確かにオンラインサロンの闇といえます。

しかし、闇あれば光あり、そうした人は自然と淘汰されていきます。

また、これはのちの章で説明しますが、『**信頼残高なしでモノは売れない**』ものです。

結局そういう人は自分の宣伝をしてもモノが売れるということはありません。

発足当初はカオスになりがち？

できたてのオンラインサロンというのは、たいてい最初にトラブルが起きます。

これはサロンのルールがまだ確立されてなかったり、運営スタッフがいなかったり、オーナーも慣れていないのが原因です。しばらくすると大抵は改善されていくので、始まったばかりのサロンは大目にみてあげてください。

実はリアルよりも良好な人間関係が構築できる

オンラインサロンの闇の部分をいくつか見てきましたが、実際には、リアルよりもあっさりと良好な人間関係が構築ができます。

リアルだと、人間関係が1回こじれてしまうと大変です。

ですが、オンラインの場合は、ゆるく繋がることができるので、人間関係が非常にあっさりとした感じになり、良好な人間関係が構築しやすいのです。

2 オンラインサロンは何も学べない？

オンラインサロンよりも、オンラインスクールのほうが学べるのではないか、そう思っている方が多いかもしれません。

確かにオンラインスクールというのは「スキルを最速で学びたい場合」に有効です。

一方でオンラインサロンは、時には自分も先生になるなど、一緒に何かをつくっていくというさまざまな形の学びの場でもあります。

そういった意味で、オンラインスクールとはまた違うメリットがあると思っていいでしょう。

3 退会しにくいのでは？

一度入ってしまうと、退会しにくくなるのではないか？と思っている方がいらっしゃると思います。

また、継続して課金されることが怖いという人も多いでしょう。

ですが、実際には簡単に退会できます。

『1ヶ月お試し』といったこともできますから、そんなに心配することはないでしょう。

❹ 新規メンバーは馴染めない？

オンラインサロンに入ったはいいけど、馴染むことができるのかな、と心配になっている方もいらっしゃると思います。

確かに、なかには、古参メンバーが幅を利かせている、ということがあります。古参メンバーというのは、いわゆる『古くからいたメンバー』です。そういった人の中には、リアルのファンクラブでもたまにありますが、幅を利かせて新人をバカにしたりいじめたりする人がいるかもしれません。

ですが、活性化している多くのサロンでは「新規メンバーを歓迎しよう」という取り組みに力を入れています。

また、新規メンバーのサポーターなどもいたりしますので、安心してよいでしょう。

5 使い方、活用の仕方がよくわからない？

オンラインサロンの使い方や活用の仕方がよくわからない、そう感じている方が結構いらっしゃるかもしれません。

Facebookは難しい、ＩＴは難しい……匿名で簡単な仕組みのものはないの？　そう思っている人も多いかもしれませんが、オンラインサロンは実名で一番使われているFacebookの仕組みをタダで使えるというのが一番のメリットなのです。

自社で何か独自の仕組みをつくればいいのに……、そう思う人がいるかもしれません。しかし、Facebookだとほとんどの人がＩＤを元々持っていますが、別に仕組みをつくると、入会者は別にＩＤを作る必要があり、ハードルがグッと高くなってしまいます。

Facebookは、コミュニティに特化して10年以上、どんどん使いやすく進化しているので、これを使えるということが大きなメリットになるのです。

6 いろいろと搾取される？

オンラインサロンに入ると、金額はそれぞれですが、有料サロンであれば月額料金を支払います。

これに関して、「毎月お金を支払わないといけないのか」「オーナーにお金を搾取されているだけじゃないか」という声がありますが、実際にはかなり割安だと思います。

例えば、『情報商材』というものが、昔流行っていました。

10万円とかする情報商材も結構ありました。ですが、商品である情報の中身がほとんどなかった……、そんな経験をしたことはありませんか？

また、『高額塾』というのもありました。

こちらは30万円くらいのものが、よく売られていました。

そして『高額なコンサル』。これは月に150万円というものもあったりします。私も、法人向けコンサルをやっており、金額はそれぐらいです。どうしてもきちんとコンサルティングをすると、月に数社までしか受けられず、この金額設定になってしまいます。ちなみに、外資系コンサルなどは、この数倍の費用がかかりますが。

しかし、オンラインサロンでは、私も僅か数千円で、『オンラインを使ったグループコンサル』を提供しています。このように、サロンオーナーのほとんどが通常よりも割安にサービスを提供しています。

そう考えると、オンラインサロンというのは非常に安く感じるかと思います。

また、支払われた月額料金をサロンメンバーに還元するところが結構多いです。オーナー利益のほぼ全額を還元してしまうところもあります。

例えば、4000名近いサロンメンバーが集う『スターシードオンラインサロン』のオーナーである『akiko』さんも、ほぼ全額をサロンメンバーに還元してくれています。

7 お金を払っていながらタダ働きをさせられる？

「サロンメンバーの中には、タダで働いている人がいる」、そんなことを聞いたことがあるかもしれません。

その人たちはなぜそのようなことをやっているのかというと、「信頼残高をリスクなしで貯められるから」なのです。

「タダで働かされている」と思っている人は別に辞めてしまえばいい話ですから、お金を払って働いているのは自分でやりたいからやっているのです。

この「信用残高をリスクなしで貯められる」ということについて説明していきましょう。

例えば、自分でコミュニティをつくるとなると、運営も含め、これは非常に大変です。

しかし、既存のサロンで貢献することは意外と簡単です。

そして、貢献すると信用残高が貯まる、要するにメンバーから信頼されていくわけです。

つまり、このオンラインサロンというコミュニティの中でリスクはなく、どんどん貢献していくと、みんなから「あの人はすごく頑張っているな、貢献してくれてるな」と信頼されていくことで、『信用残高』というものが貯められていきます。

この『信用残高』については、またのちの章でもしっかり説明したいと思います。

8 オンラインサロンって、怪しい宗教と同じじゃないの？

オンラインサロンを「怪しくない？」「宗教と同じ感じがする」と思っている方もいるでしょう。

確かに、「お金を払ってタダ働きしてる人がいる」と聞くとそう思う人もいるでしょう。しかし、サロンは別に無理な勧誘をしているわけではありませんし、メンバーも主体的に集まった人たちです。

ですから、『ファンクラブの進化版』と考えればよいと思います。

そう考えると、タダでも何か貢献をしたいという人がいても不思議ではありませんね。

加えて、「オーナー不在でも楽しい」というのが、ファンクラブとの違いでもあります。

旧来の宗教というのは「この宗教じゃないと幸せになりませんよ」といった『制限』や『戒律』があるものです。

しかし、オンラインサロンは逆に、今までの生き方の『制限』から自由になるためのものだと私は思っています。

❾ 怖い!? オンラインの仲間は信用できない?

「顔が見えないから怖い!」「オンラインでだけの繋がりだから信用できない!」と思っている方もいるでしょう。

リアルでも、偽名を使っている人はいます。

オンラインサロンは実名利用が基本です。さらに有料サロンではクレジットカードを保有している必要があったりと、誰でも入れるわけではないでしょう。Facebook等のSNS上の投稿も公開されています。そういう意味では、逆にオンラインで繋がる人のほうが信用できるともいえるのではないでしょうか。

⑩ 8割が幽霊会員？

どんな世界でも『2：8の法則』

「サロンメンバーの人数の割に、発言している人数が少ないけど、なぜ？」と思う人もいるでしょう。

実は、ほとんどの人は『沈黙』しています。

これは、どんなサロンもそうです。

どんな世界でも『2：8の法則』というものがあります。

「よく働くアリは2割しかいない」という法則です。

これはどんな世界でもそうなっています。

人間社会はもちろん、会社にも適用されます。例えば、よく働く人たちだけを集めて、新しい組織をつくったとします。

そうすると『2：8の法則』が働いて、結局その中でもよく働く人が2割、そうではない人が8割というように別れていきます。

それと同じことが、オンラインサロンでも起こっているわけです。

『所属の欲求』を満たすことができる

『マズローの欲求5段階』というものがありますが、まず生命を維持したいという欲求が『生理的欲求』になります。

次に身の安全を守りたいという『安全の欲求』。

そして、他者と関わりたい、集団に属したいという『所属の欲求』があります。

実はこの『所属の欲求』、この部分をオンラインサロンで満たすことができます。『所属の欲求』は人間の根源的に持つ、強い欲求だと言えます。

そして、オンラインサロンで積極的に活動することで、他者から価値を認められたいという、『承認欲求』を満たすことができます。サロンの中で成長していけば『自己実現の欲求』も満たすことができるでしょう。

マズローの5段階欲求とオンラインサロン

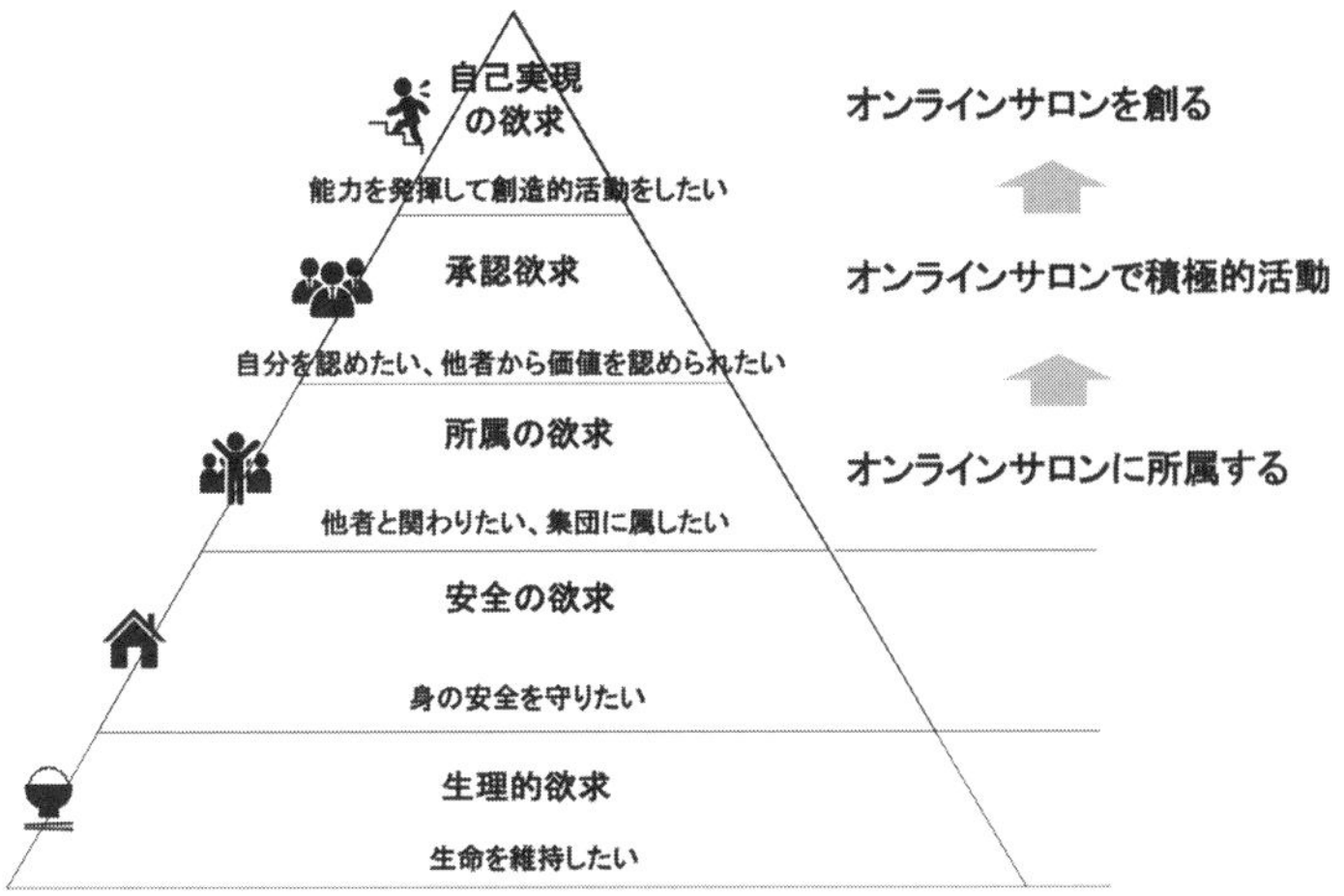

さらに、これはのちの章でも説明しますが、自分のサロンを持つことで、さらに上位の欲求をも満たすことができます。

お金よりも○○の時代

「フォロワーが減るから広告収入はいりません」

そんなYouTuberやインスタグラマーは、最近では珍しくありません。

特に若い世代では、お金よりもフォロワー数のほうが大切なのです。

これは、「若い人はお金がいらない」と言っているわけではありません。

お金をよりもフォロワーに価値がある、ということを感覚的に知っているからです。

例えば、企業の広告のタイアップをしたとします。

そして、広告的にフォロワーに向けて見せたとしたら、フォロワーたちはそのインフルエンサーのことを、『お金で自分の価値を売ってしまっている人なんだ』と見てしまいます。

そこで入る収益は、一時的なものでしかありません。

長期的には信用や信頼を失い、フォロワーを減らすことになります。

損得で考えても、これは得だとは言えません。

今は企業の広告を受けなくても、自分のコンセプトでオリジナル商品をつくり、フォロワー限定に販売したほうが、よほど売れますし、自然です。

フォロワーは、お金だけではなく、さまざまなことに交換できます。

例えば、Twitter のフォロワーに奢ってもらう『プロ奢らレイヤー』の『ぷろおご』さんは、3年間奢られっぱなしで、今も奢りたい人が列をなして待っている状態です。

お金の価値は、金融緩和によって数年間で何倍にも薄まっていますし、これからの時代、安定した価値とはいえません。

そんなお金を貯めるよりも、今自分のことを応援してくれるフォロワーを増やしていこう、というほうにシフトしているのは当然のことなのです。


昭和の時代を生きてきた人たちは、お金の価値というものをある程度、本当に盲信的に信じている世代だと思います。

ですが、今の若い人たちは特に、あまりそういったところに価値を置いていません。

それは、もしかしたら本当にそういう本質をわかっているからなのかもしれません。

ものすごく移ろいやすいお金の価値というものより、自分のことを知っている自分のファンとも言える人が何人いるのか、自分の得意なことや人に役立つことを発信し、それをフォローしてくれている人が何人いるかということに価値を置いているのです。

これは、お金に換金しようと思えば換金できますし、奢ってもらうことで一生困らない、なんてことにもなるわけです。

そういった意味で、今はお金よりフォロワーのほうに価値がある、そういう時代になってきているといえるでしょう。

第4章

人生が10倍楽しくなるオンラインサロン活用法

1 まずオンラインサロン初心者が知っておくべき5つのこと

疎外感、場違い感を感じるのは当たり前

初めての学校、初めての職場……、最初はみんな、誰一人知り合いはいません。これは、リアルもオンラインサロンも同じです。

だから、コミュニケーションをしていきましょう。

やはり、いきなりオンラインサロンに入っても、「同じ価値観を持っている人たちだから、何もしなくてもみんなと仲良くなれる」というわけではありません。

最初は誰も知り合いがいませんから、しっかりとコミュニケーションをしていきましょう。

自己紹介はとても大切

●基本的には実名で

匿名か実名か、というところなのですが、実名であることはコミュニティ内の安全と安心を担保します。

ですから、基本的に実名で登録すべきです。ただ、「どうしても」という方はビジネスネームを使う方法もあります。

Facebookでは『実名利用』という規約がありますが、ビジネスネームはOKなようです。ですが、基本的にはやはり実名がいいでしょう。Facebookの規約的にもそうですし、サロンの規約で実名と謳っているところもあります。

ただし、ビジネスネームで活躍している、活動している方も結構いますから、どうしても実名NGな方は、ビジネスネームを使ってください。

顔出しはしましょう

また、『顔出し』に関してですが、基本的に顔出しはしましょう。

自分がオンライン上で交流する相手を選別するときにどうするか、考えてみてください。

やはり、顔写真が出ているほうが安心するでしょう。そして、写真はなるべく笑顔の写真を選んでください。

写真を変えるだけで、人の反応は変わります。

例えば、最初はしかめっ面で彩度も暗めな写真を使っていたAさんがいました。その後、思い切って笑顔の自撮りをした写真に替えた瞬間、コメントが5倍増え、それまでは同世代の男性にしか『いいね』などの反応がなかったのですが、女性や幅広い層でも『いいね』をもらえ、気の合う仲間や友人がたくさんできたと語ってくれました。

どうしても顔を出せない理由がある方は、コスプレ的なものだったり、個人を特定されない形の写真で顔出しをしてみましょう。やはり写真で全然違うと考えてください。

例えば『お見合い写真』、そういったものと同じです。

特に、オンラインサロンというのはコミュニティの中で交流をしていくので、交流していく人が「なんか怖そうな人」「顔が見えてない人」ですと、よくわからないし怪しそう、となってしまいます。

顔とか写真とか、そういう見た目ではないといっても、やはりそういうのはよくないものです。

ですから、『笑顔で』というのが基本になります。

3秒で目に留まる、心に残る自己紹介

『3秒で目に留まり、心に残る自己紹介』というのも大切です。

ちなみに私のプロフィール上での肩書きは、『小学生で起業、ITコンサルタント』です。これを読むと「えっ!?」となるかもしれませんが、10年前にこの肩書きにしてから絶対忘れられなくなりました。

以前は、交流会に行っても、「ITをやっている」「ネット系の会社をやっている」などと自己紹介をしてきましたが、ほとんど覚えてもらうことはありませんでした。交流会では、たくさんの人の中で埋もれてしまうからです。

そして、ネットではもっとシビアです。

目に留まり、長くても3秒以内に伝わって、しかも心に残るプロフィールでないと誰も見てくれないと思ったほうがいいでしょう。

実は私、この肩書きの前に、『元夜逃げ小学生プログラマー』という肩書きをつくった

ことがありました。

しかし、それは失敗でした。

「なんかイメージが湧きにくい」「あなたは今小学生ですか？　違うでしょう」と言われたこともありました。

しかし、『小学生で起業・ITコンサルタント』という肩書にしてからは、ほとんどの方に覚えてもらえるようになりました。

やってしまいがちなダメなこと

それは『自慢になってしまう』『宣伝してしまう』『硬すぎてツッコミどころや隙がない』というものです。

ひとつずつ見ていきたいと思います。

まず『自慢になってしまう』ですが、オンラインサロンは異業種交流会のような自分のPRの場ではありません。

PRは必要ですが、自慢をしてはいけません。もちろん、異業種交流会でもそうでしょうが、自慢というのは逆効果になります。

あと『宣伝してしまう』というのも絶対にダメです。

あとで説明しますが、宣伝よりももっと効果的な方法というのがあります。

そして『硬すぎてツッコミどころや隙がない。しかも長い』のもNGです。例えば、「何々大学卒業、◯◯会社に勤務し、◯◯でどうなってどうなってどうなって……」というもの。

これではまったく面白くなく、インパクトもなく、硬すぎて隙もなくツッコむこともできません。多くの人がやってしまいがちなので、注意してください。

自己紹介テンプレート

ここの『テンプレート』にしたがってプロフィールをつくれば、一番効果的なプロフィールがつくれると思います。

まずは『**肩書き**（**職種など**）』ですが、ここは一番大事になります。

掴みとなるキャッチーな肩書きを考えましょう。そうすると、サロンメンバーだけでなく、サロンオーナーの目に留まることもありますから。

特に個人の方や自分で仕事をやっていない方は、特にキャッチがない人が多いと思いますが、あえてこのタイミングでつくってみるのはいかがでしょうか。

のちほど、その辺りのテクニックをお伝えしたいと思います。

次に**『居住or活動エリア』**ですが、同じエリアの人がコメントしてくれることもありますので、必ず書いたほうがいいです。エリアを書かないのは、とてももったいないことです。

特に都会の人、例えば『東京都』だと同じエリアの人はいっぱいいすぎるので、東京でも『何々区』『何々に住んでいる』といったところまで書いたほうがいいでしょう。

逆に田舎の人の場合は、同じエリアの人がいるだけですごく嬉しいと思います。

『サロンに入ったきっかけ』、これは必ず書きましょう。

みんな同じように、何かしらのきっかけがあってこのサロンに入ってきています。人それぞれ入るまでのストーリーがあるので、共感する人は多いはずです。

あと、『**アピールしたいこと（趣味や特技など）**』には、仕事のことだけでなく、プライベートのことも必ず入れましょう。

逆に、仕事のことを入れなくてもいいぐらいです。

仕事のことも入れるのならば、必ずプライベートなことも入れてください。

あなたがどんな人なのかをわかってもらえますし、同じ趣味を持ったメンバーがいるかもしれませんから。

また、コアな趣味やニッチな趣味を持っている人は、必ず入れたほうがいいでしょう。

同じ趣味を持った人がいたら、コメントしてくれるかもしれませんし、コメントをしなくても仲間みたいな意識を持ってくれるからです。

そして、『**弱さや悩み、困っていることなど**』ですが、弱みや悩みを自己開示することで、周りも安心して交流できるようになります。

先ほど言った、「隙がないとダメ」というのと同じように、人間は弱さというのをやはり見せたほうがいいみたいです。

ですから、そういった部分を自己開示していきましょう。

「今こんなことに悩んでいます」「こういうことをやってきたんだけど、なかなかうまくいかない……だからこそ、このサロンに入ったんです」こんなふうに。

次に、**『貢献できること、実績』**です。

つい自分の仕事やサービスを宣伝してしまう人がいますが、絶対NGです。

しかし、貢献できることに置き換えると、逆にスムーズに入ってきます。

例えば、あなたが何かのお店をやっている、そうですね、『旅行代理店』をやっていたとしましょう。そうしたとき、「どこどこで旅行代理店をやってますので、ぜひ来てねー」などと言ってしまったらダメなのです。

「これは宣伝か？」となってしまうでしょう。

オンラインサロンは宣伝する場所ではありません。

ですが、「旅行代理店を20年やってきました。なので、旅行でわからないことがあったら気軽にコメントで聞いてみてくださいね」とかであればOKです。

何かの専門家だったり、得意なことがあるなら、

「〇〇の専門家なので、役立つ〇〇の情報をシェアしていきますねー」

こんなふうに貢献を宣言するのもよいでしょう。

最後に『**サロンを通じてどんな自分になりたいか**』ですが、これは「いつまでにどんな自分になりたいか」ということを宣言するのもいいでしょう。

オンラインサロンは長期的な成長の場、みんなと一緒に、サロンのオーナーとメンバーと一緒に成長する場でもあるので、今すでに完成されている必要はないのです。

「未来の自分はこんなふうになりたいんだ」と夢を語ってみるのもいいでしょう。そこに共感する人もきっといるはずです。

また、上級編として、『**肩書きにナンバーワンを盛り込む**』というものをお勧めします。

例えば、「世界一お花を愛してるデリバリー花屋の○○です」といったものです。

この『世界一』『ナンバーワン』という単語が入ると、「これは！」「おっ!!」と思わせることができます。

ですが、「なかなかそんなのないよ」「ナンバーワンなんて自分には絶対ないよ」という人が多いと思います。

そこで、「こうやればいい」という例をご紹介します。

まず、「絞り込みでナンバーワン」です。

「○○県○○市では○○ナンバーワンの…」と、エリアを絞り込んでいけばナンバーワンが見つかるのではないでしょうか。

「沖縄県石垣島の中では、スノボ大好きナンバーワンの○○です」

南の島でスノボをやってる人は少ないはずなので、大好きアピールを加えてナンバーワンと言っても良いでしょう。

また、『掛け合わせればナンバーワン』が作れます。

「○○分野で○○ではナンバーワン」といった感じです。

例えば、「私はサロン内できっと一番ロボットダンスを愛する主婦ナンバーワンの○○です」というふうにです。

要するに、ロボットダンスだけではあまり絞れませんが、『ロボットダンスでしかも主婦』なら、サロン内でナンバーワンを名乗っても良いでしょう。

このようにすると、メンバーの目に留まりやすく、忘れられません。人数のたくさんいるサロンでは、何千人といった自己紹介が飛び交ってるわけですから、記憶にも残らない、目にも留まらない、ということは少なくありません。

ですから、なるべく目に留まり、忘れられない、というのが大事なわけです。

『ナンバーワンを盛り込む』ことは、そのための簡単で効果的な方法です。

●挨拶をしてほしかったらまずは自分から

挨拶をしてほしかったら、まずは自分から挨拶をしましょう。また同様に、褒めてほしかったらまずは自分から褒めましょう。

これは、リアルでもオンラインサロンでも同じことです。

例えば、誰も知り合いがいないところへ行ったとき、いきなり人から挨拶されますか？

自分のことをよく知っている人のところに行けば、自分から挨拶しなくても挨拶をしてくれるかもしれませんが、そうではないところへ行ったら、ほとんど挨拶はしてくれません。

だからこそ、自分からするわけです。

褒めてほしかったら自分から褒める、ということも同じです。

結局、「褒めて、褒めて」と思っている人というのは、他人を褒めない人が多いです。

褒めてほしい人は、褒めたら褒め返してくれるはずですから、「まずは自分から」という姿勢がやはり大事だと思います。

貢献の文化も知ろう

サロンに入り、情報を得ることはできたけど、もっと活用するには何をしたらいいの？

そう思う人は多いはずです。

会社のように仕事を与えられたり、学校のように勉強をしなさいといった明確な指示はありません。

オンラインサロンは『貢献』という言葉がポイントになります。

サロン内の良いと思うコメントに『いいね』をしたり、コメントで賞賛したり、困った人の質問に回答してあげたり……、まずはそういった貢献や感謝の意を表していくことで、それを受けたメンバーは喜びで満たされ、また他の人に貢献をしていきます。

このような循環は、お互いに足を引っ張りあったり、勝ち負けや損得の理論で動いている現実社会では珍しくなってしまいました。

しかし、多くのオンラインサロン上では、この『**循環する貢献の文化**』が流れています。

古き良き時代の日本はこんな感じだったのかな、と思えるような。

『え？　お金を払っているのにオンラインサロンって不思議』と思う人もいるかもしれません。

しかし、随分前から『ヤフー知恵袋』などがありますよね。

基本的にはポイントが貯まるぐらいで、お金をもらって回答してあげているわけではありません。

このように、何かに貢献をしたいという気持ちは、もともと人間が持っている欲求です。

それがオンラインサロンでは、特に重要になってきます。

そして、『貢献』というのは、実はポイントになり、換金もできるようになっているのですが、その説明はまた後ほど行います。

ROM専でもOK！　メリットにフォーカスする

「オンライサロンは交流しなきゃいけないところ」、そう思っている人が多いかもしれませんが、それが頭にあると逆にしんどくなってしまいます。

オンラインサロンの会員の8割はROM専です。

ちなみに、ROM専とは『リード・オンリー・メンバー（Read Only Member）』の頭文字を取った略語で、読む専門の人を言います。

実はそれで十分なのです。

私も30以上のサロンに入っていますが、そのほとんどがROM専の参加です。

オンラインサロンに入らなければ得られない情報がもらえるわけですから、それだけで本当は十分なのです。

ただ、お互いに繋がったりコミュニケーションしたりすることでオンラインサロンを一層楽しめると思いますので、気が向いた時、できる範囲からやってみるといいと思います。

❷ オンラインサロンでやりがちな3つのNG

空気を読まない投稿

日本人は空気を読むのが得意なので、ほとんどの方には該当しません。

しかしながら、一部の方ですが場の空気を読まないで投稿してしまう人がいます。

どのような投稿が『空気を読まない』ということになるのかを、知っておくといいでしょう。

日本人は、本当に空気読むのがうまい、というか、空気を読んでしまいます。

だから、コメントで盛り上がっているサロンというのは、そこまではありません。

意外とシーンとしているサロンのほうが多いものです。

それはなぜかというと、意見があっても、場の空気を読んでなかなか書き込みをしないからなのです。

だから、勇気を持って投稿してほしいというのが本音ですが、逆に投稿する人というのは勇気を持った人ばかり、その場の空気を読みながらも勇気を持って投稿する人がほとんどになります。

ですが、一部の空気を読まない人が、空気を読まないで、制限なく投稿してしまう場合があります。

空気を読まない投稿とはどのようなものかを知っておいてください。

まず、『連続投稿』、これはダメです。

1人が何度も投稿すると、他の人の意見が埋もれたり、他のメンバーを不快にさせたり、場を乱すことになります。

これは本当にやめてください。


あとは『マルチポスト』。

これは、複数のスレットや分科会グループなどに、同じ記事を複数投稿することをいいます。

この『マルチポスト』は、自分でYouTubeやSNSをやっている人などがやりがちです。

しかし、オンラインサロンではマナー違反になります。

『マルチポスト』いうのは、元々インターネットの世界、主に掲示板などで昔から使われており、『マルチポスト禁止』といった言葉もありました。


そして、『他のサロンやサービスの紹介』もダメです。

オンラインサロンのメンバーというのは、サロンオーナーの情報が欲しくて集まってきています。

「こんなにいい情報があるよ」「他のところでこんな良いことを聞いたよ」と。だからサロンのみんなにも教えよう、ということなのでしょう。

ですが、それはサロンメンバーは求めていませんし、サロンのオーナーさんも迷惑すると思います。

サロンメンバーは、今いるサロンの情報が欲しくて集まっている、そのことを忘れずに、場違いな投稿には気をつけましょう。

直メール

サロンメンバーへ直メールで連絡をしてしまう人がいます。

Facebook のメッセンジャー機能での連絡もしかり、です。

オンラインサロンでは、意見交換をグループ内でオープンな形でやりとりすることが基本になります。

だからこそ、グループがあるわけです。

そして、グループ内でのやりとりの中で徐々に信頼関係が生まれ、オンラインイベントなどでもお互いに仲良く理解できた状態になって、オープンコメントで「直にやりとりしても良いですか」と承認を得てから、初めて直メールするくらいでちょうど良いと思ってください。

オンラインサロンでの交流をせずに直メールしてしまう人というのは、マナーがなっていないと思われても仕方がありません。

同様に、サロンオーナーへの直メールもＮＧです。

サロンオーナーは基本的にたくさんの人と繋がっており、特定のやりとりができるほどの時間がありません。

また、あなたはサロンオーナーのことをよく知っていても、サロンオーナーはあなたのことをよくは知りません。

どうしてもサロンオーナーと繋がりたいと思うのならば、まずはグループ内の質問コーナーなどでオープンに質問するようにしましょう。

今後、サロンに貢献するようなコメントや活動を続けることで、自然とサロンオーナーと直接繋がることができる機会も出てくるはずです。

これは結構やってしまいがちだと思います。

テレビやYouTube、本やブログ等、見ている側はとても仲の良い友達みたいな感覚に錯覚してしまうからです。

また、メールをしたのに全然見てくれない、スルーなのかと怒ってしまう人がいますが、Facebookでは、友達になっていないフォローだけの関係だと、メールを送っても基本届きません。

基本的には友達にならないとメールはスパムフォルダーに入る等、基本的には見られないのです。

基本的に直メールはできない、送れても見てはくれないと思ったほうがいいでしょう。

MLM・情報商材・政治・宗教・紹介ビジネスなどの勧誘、各種売り込みなどの迷惑行為

これは、MLM・情報商材・宗教・紹介ビジネスを否定してるわけではありません。

しかし、該当する方の勧誘行為による、トラブルは多く、サロンの空気が淀むことにな

ります。

ご自身独自のサービスや商品がある場合、サロン内で活動を通じて信頼を徐々に獲得していけば、営業活動をしなくても自然と仕事に繋がっていくものです。

これらの行為は、ほとんどのサロンがNGにしています。

それ自体を否定しているというよりも、それを「嫌だな」と感じる人がやはり圧倒的に多いからです。

ですから、各種売り込みなどの迷惑行為はやってはいけません。

売り込みをするためにオンラインサロンを利用しようと思っても、メリットは本当にありません。

結果的にまったく売れないからです。

逆に、サロンに貢献して信頼されていけば、無理をすることなく商品・サービスが売れていきます。その点については後ほどご紹介していきます。

信頼残高（貢献ポイント）を貯めよう

●信頼残高（貢献ポイント）とは？

前の項で、『貢献の文化』というお話をしました。

オンラインサロンには、その中で困った人がいたら、何かアドバイスをしてあげたり、わからないことがあったら回答してあげたり、『いいね』やコメントで応援したりといった、貢献の文化があります。

そして、貢献している姿を見ている人は見ていて、どんどん貢献のポイントが貯まっていきます。

周りからすると、「この人すごく助けてくれて、サロンの中も明るくしてくれるいい人だな」みたいな感じです。

これが、いわゆる『信頼残高』と言われるものです。

オンラインサロンでは信頼残高（貢献ポイント）をリスクなしで貯められる

自分でコミュニティをつくる、自分でサロンをやって運営できれば本当は一番いいのでしょうが、それはなかなか大変なものです。

ですが、既存のサロンで貢献することは簡単にできます。

『信頼残高』を貯めると、メンバーから信頼されていきます。

具体的にどのようなことをすれば、この信頼残高が貯まっていくのでしょうか。

まずは、『サロンのサポーター役をやる』というのはどうでしょう。

サロンのサポート役とは何かというと、例えば、サロンの中にはいろいろな分科会やサークルがあり、そのリーダーや管理者というものがあります。また、いろんなプロジェクトがあったりしますので、そういうところをサポートしていく、ということです。

また、『サロンオーナーの代弁者になる』というのもいいでしょう。

サロンオーナーは、サロンのことを思って、サロンに集まったお金をサロンの中のために使ったりします。

そういった時に、サロンオーナーは「すごいでしょう」とは別に言いません。というか、言えないわけです。

そこで、サロンメンバーとして「これだけの時間を使ってもらい、さらにそういったことまでやってくれるというのは本当に素晴らしい！」といったことをコメントして、サロンオーナーを褒めてあげるのです。

これは、サロンオーナーにとってはとても嬉しいことです。

あとは、『プロジェクトの運営メンバーになる』のはどうでしょう。

何かプロジェクトをやっているサロンは結構多いと思います。

そのプロジェクトのメンバーになることで、サロンオーナーの目にも留まりますし、貢献ポイントも貯まります。

貢献ポイントが貯まると……

『貢献ポイント』が貯まると何がいいの？　と思う人がいるかもしれません。

この『貢献ポイント』ですが、実は換金しようと思えばできるのです。

また、換金しなくても、信用があるので、例えば、あなたが「助けてっ！」と言ったら、貢献された人はきっと助けてくれることでしょう。

ですから、それだけでも十分でしょうし、お金にも換金することができます。

なぜ換金できるのかというと、「この人はすごくありがたい人で、いろいろとお世話になった人」となるわけですが、そういった人がもし何か商品やサービスを出したとしたら、当然、応援してもらえたり購入してもらえたり、そういうことが当たり前のように起きるからです。

ゆる～く続けよう

●頑張りすぎない

オンラインサロンというのは、短期的に頑張って行動したり交流したりすることには向いていません。

一方で、長期的にゆるく繋がることのほうに向いています。

リアルの世界のように、緊張感を持って気を遣いながら繋がらなくてもいいのが、オンラインサロンのメリットなのですから。

頑張りすぎて、最初だけわーっと熱くなり、その後すぐにフェードアウトする人もいますが、それはもったいないことです。

そうではなく、やはり長いスパンでゆるく続けていって楽しんでもらうのが一番いいと思います。

リアルの価値は100倍に!?

オンラインであれば、いつでもどこでも繋がることができます。

確かに、オンラインサロンはそれが最大のメリットになります。

しかしながら、オンラインサロンでのイベントというのは、オンラインだけではなくオフラインでも行われます。

オフ会や合宿など、同じサロンのメンバーが集まるリアルのイベントというのは、異常なほど本当に盛り上がります。

特に合宿などは、普段なかなかいかないような場所に集い、長い時間過ごすことで特別な体験を味わい、一生の仲間となることもあるでしょう。

オンラインサロンというと、「オンラインだけで完結しよう」「それだけでいいや」という人のほうが圧倒的に多いわけなのですが、だからこそ『オフライン』というところに非常に価値があるのです。

また、サロンメンバーはコアな人が集まり、サロンのオーナーとも交流ができるので、非常にメリットがあります。

ただ、意外とリアルイベントに参加する人というのは、少ないものです。

オンラインで気軽に多くの人が繋がりますが、リアルイベントはごく一部の人しか集まりません。

ある程度の規模のサロンでも、リアルイベントに参加する人というのは思ったよりも少ないものです。

また、ライトなイベントよりも、数日間におよぶ合宿などでは、一層サロンメンバーの中でもコアな人しか集まりませんから、メンバー同士確実に仲良くなれますし、そこでしか聞けないレアな情報も手に入ることができます。

もちろん、サロンオーナーとも直接話せる機会があるでしょう。

リアルの価値は、体感を含め想像をはるかに超えるものです。

リアルに集い、そして得られる価値というのは、オンラインの最低10倍はあると思います。

私も以前、インドの秘境で合宿をやったことがあります。

そういう場所でやったりすると、本当に来られる人というのはコアな人しかいませんし、だからこそ、すごく濃厚な情報交換もあれば、非常に素晴らしい出会いや体験というものが起きます。

ただ、新型コロナの流行以降、オンラインサロンのリアルイベントは激減しました。

募集人数も少なくなり、イベント数も激減した今は、リアルイベントの価値というのは以前の10倍はあると私は思っています。

つまり、現在ではオンラインよりも100倍の価値が、リアルにはあると言えるのです。

オンラインサロンの醍醐味

●立ち上げから今までのオンラインのストーリーの共有

「私は0期メンバーなんです」

「すごいですね！　私は5期で入ったばかりです」

オンラインサロンでは、そのような会話が飛び交います。

０期というのは、まだ一般公開する前や一部の限られた人への声かけで集まった、立ち上げ当初のメンバーのことを指します。

０期や初期メンバーは、あとで入った人たちからリスペクトされていくのですが、その理由は、『サロンを共に創ってきた人』『サロンの歴史を見てきた人』といった感じで見られるからです。

オンラインサロンには、それまで続いてきたストーリーに価値があります。

そのストーリーを共有することができる権利を、サロンメンバーは有するわけです。

だからこそ、短期的なメリットだけにフォーカスするのではなく、先輩たちの今までの歴史や、同期メンバーや自分のこれからの成長を見ながら長期的に楽しむ、というのが醍醐味と言えるでしょう。

ですから、オンラインサロンというのは本当に、単発的で瞬発的なものとは相反する部分のものになります。

今ある価値というよりも、これから変化を見ていく、そして変化する自分を期待していく、変化するメンバーを見る、そこが楽しい、そこに価値がある、と言えるでしょう。

お金に代わる新しい価値

第4章に「信頼残高（貢献ポイント）を貯めよう！」という話を書きましたが、貢献ポイントを仕組み化しているオンラインサロンもあります。

オンラインサロン内で使えるポイントシステムを使ったり、オンライサロン独自に発行する仮想通貨を支給し交換できるようにしたりと、さまざまな取り組みがなされています。

ひとつの事例として、私たちが運営するオンラインサロンの話をします。

宇宙系が集う『スターシードオンラインサロン』では、メンバーのスキルを売り買いできる仕組み「starseed.fan」というサイトを構築しています。

一種のフリマのような形で、メンバーの商品やサービスを売り買いできます。

お金をいったんポイントに変換し、交換して利用します。

一度交換したポイントで、誰かのサービスを購入し、自分でもサービスを提供してポイントをもらうことができます。

このシステムを使うことで、一種の物々交換のような循環の仕組みが生まれています。

また、サロンに貢献していただいた方へポイントを支給しているので、貢献がポイントとして付与され、実際に使用・利用できる仕組みができあがっています。

もちろん、ポイントは換金できます。

そんな仕組みのあるサロン内では、『お金』というものが薄らいでいます。

ポイントという形で交換される取引には消費税もかかりませんし、換金されるまで永遠に減らずに循環します。

まだまだシステム的には不十分なところがたくさんありますが、私はお金に代わる未来型の循環の仕組みとしてワクワクしながら積極的に取り組んでいます。

このようなお金に代わる新しいものが、今後オンラインサロンではどんどん使われていくと思っています。

第5章

一番簡単なオンラインサロンの作り方

❶ オンラインサロンの9割が失敗する

オンラインサロンを7年間運営&サポートしてわかった事実

例えば、月会費が1000円で会員が10名、そんなサロンは結構多いものです。

サロンに費やす時間というのは最低でも月30時間。

集客にも繋がる情報発信も必要なので、それくらいはかかります。

そうすると、時給換算で約330円ということとなります。

本当にこれでいいのでしょうか。

しかも、著者や有名人のサロンでも、こういった状況になっているサロンが多くあります。

なぜ失敗するのか？

サロンを運営するには、必要な3つのスキルがあります。

・マーケティング力（集客）

私の場合、セミナーなどの開催を300回以上やってきたので、そのノウハウから、なんとか集客できています。

・コンテンツ力

私は毎月3つ以上の新規コンテンツをつくり、本も書いていたので、なんとかコンテンツをつくれています。

・コミュニティ運営力

私にとって、当時、これはまったく初めてで、しかも苦手な分野でした。

この3つのスキルがすべてないと、実はオンラインサロン運営はうまくいきません。だから、オンラインサロンは、とても難しいのです。

収益目的でやるのは、絶対にやめたほうがいい

私の場合、自分の時間の5割を使っています。

例えば年収500万円の人が、時間の5割を使い、年間250万円相当の収益になるのなら良いのですが、実態は程遠く、時給換算で330円だったりします……。

例えば、年商が100億円の会社が、会社の事業としてオンラインサロンを本気でやるとしましょう。

もし、会社全体の労力を5割使って、50億円ぐらいの売り上げを目指すとします。

ですが、こんなサロンは存在しませんし、つくれません。

❷ 有名人やインフルエンサーの真似はしてはダメ

有名人やインフルエンサーのサロンは、コンセプトが決まっていなくても、また定まっていなくても、ある程度人は集まります。

しかしながら、一般人がサロンをつくる場合は、コンセプトが定まっていなければ人は集まりません。

先ほど、著者やインフルエンサーや有名人であっても、あまり人が集まっていないとお話ししましたが、逆にいうとコンセプトが定まってなくても少しは集まるのです。しかし、一般人の場合は、絶対に集まりません。

3 最もやりがいがあり、楽しい仕事

先ほど、オンラインサロンの難しさをお伝えしましたが、それでもオンラインサロンを提供する側になってほしいと私は思っています。

なぜなら、オンラインサロンは最もやりがいがあり、楽しい仕事といえるからです。

「インフルエンサーや有名人でもないし、無理なんじゃないの……」と思っているかもしれませんが、オンラインサロンは最もやりがいがあり、楽しい仕事なので、ぜひやってほしいと私は思っています。

では、具体的にどう始めれば良いかをお話ししていきましょう。

4 メンバーはたった3人からでもOK

オンラインサロンについて深く知っていくと、「これほど難しいものはない」ということがだんだんとわかってくるかもしれません。

「有名人でも大変なのに、無理でしょ？」「絶対人数が集まらないよ」、そう思う人が大半だと思います。

しかし、「まずは3人でOK」と言われたら、どうでしょう？

しかも、「自分を含めて」なので、あと2人集まればいいわけです。

それだったら簡単だし、「できるかな？」と思いませんか？

それでは、最も簡単なオンラインサロンの作り方をお話ししていきます。

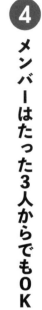

5 最も簡単なオンラインサロン立ち上げ方法

3ステップでつくる一番簡単な方法

●『コンセプトを決める』

コンセプトは具体的にどうやって考えればいいのか？　わからない人も多いと思います。

そこで、みなさんにこんな質問をしてみたいと思います。

「今までで一番お金や時間を使ったことは何ですか？」
「今までで一番人から喜ばれたことは何ですか？」
「今までで一番ワクワクしたことはなんですか？」

この3つの質問の答えに、コンセプトのヒントはあります。

今まで人生の中で一番お金を使ったことが、もしかしたらもっとも興味があり詳しい分野かもしれません。

そして、一番時間を使ったことが、自分が人に教えられることかもしれません。

また、一番人に喜ばれたことが、あなたが何か人に役立つ、収益化できるポイントかもしれません。

そして、あなたがワクワクすることでコンセプトを決めていくのが一番いいでしょう。

●『類似サロンをリサーチ』する

類似サロンのリサーチをすると、「同じようなコンセプトのサロンがあるじゃないか……」と落ち込んでしまう人が結構います。

逆に、まったく類似なサロンがないというのは、ニーズがない可能性があるので、やめたほうがいいかもしれません。

ですから、類似サロンがあっても全然ＯＫです。

●『世間のニッチなニーズを満たすナンバーワンニッチをつくる』

オンラインサロンは、だんだんと世間に認知されていっている段階、つまりは成長期である、といえます。

成長期ではあるけれど、「もうすでに類似のオンラインサロンのコンセプトがあるから……」と思ってしまうかもしれませんが、類似なものがあったとしても、成長期にあるオンラインサロンにおいて、自分の切り口で世の中のニーズを切り出すことで、自分だけのナンバーワンニッチなコンセプトが生まれます。

あなた自身のオリジナルのコンセプトを見出すこと、他にはない、他には真似できない自分流の切り口というのをつくることがきっとできるはずです。

●Facebookグループをつくる

無料であり、世界で最も使われているSNSの『Facebook』を使うのが一番いいでしょう。

「じゃあ、他のSNSを使うのはどうですか?」とか「自分でオリジナルのSNSをつくるのはどうですか?」とか聞かれますが、それはよくないです。

なぜかというと、やはり10年以上の長い歴史をかけてどんどん進化してきた、そしてほとんどの方がアカウントを持っているFacebookを使うこと、その中の『グループ』という無料で使える機能を使ってやること、実はそれに意味がありますし、誰でもつくることができます。

●まずは無料で招待する

まずは無料でプレ運用をしましょう。

いきなり課金をしていこうという人もいるかもしれませんが、なかなかハードルが高いかもしれません。

最初は『ボードメンバー』と言われる立ち上げメンバーを無料で募集したり、無料モニターを募ったりして、まずはサロンを稼働させることが重要です。

そのあとに運用がうまくいきそうならば、有料にしたり新規に有料メンバーを募集したりするといいでしょう。

うまくいきそうでなければ、その段階で解散してしまう、というのもありです。

無料のまま、マイペースにプレ運用を続けることもできますので、まずは無料でやってみるのがいいと思います。

6 課金方法やプラットフォームを選定する

まずは無料からオンラインサロンを始め、うまくいきそうなら、次に課金方法を考えます。

独自に決済し運用する場合は、PayPalやStripeなどで継続課金を行えば、特にプラットフォームを利用する必要はありません。

決済機能や会員管理システムなどを外部利用したい場合は、DMMオンラインサロンやCAMPFIREなどのプラットフォームを利用します。

決済手数料を含むプラットフォームの取り分は、DMMオンラインサロンの場合は25%、CAMPFIREは10%となっています。

そして、その残りがサロンに入ってきます。

プラットフォームを利用せずにPayPalなどを使う場合は、決済手数料のみの3%台となるので、「自分で決済ができる仕組みが使える」という方は、特にプラットフォームを利用しなくても運営ができます。

7 サロンオーナーであるあなたが最も成長できる

「深く学びたいならば、自らが教える側になれ」

これは、私がよく口にする言葉です。

何かを習得しようとするとき、ただ覚えよう、理解しようと取り組んでも、それほど効果は出ないものです。

習得度を上げるコツは、「自分が学んだことをアウトプットしようと思って取り組む」ということです。

その点でいうと、オンラインサロンはアウトプットに最適な場所だと言えます。

何かを学び、気づいたことをアウトプットして、サロンメンバーとともにシェアすることはとても有益です。

習得度や成長の速度は、はるかに上がるでしょう。

しかし、もっと習得したい、もっと成長したいと思うならば、「学ぶことを教えること」です。

「学びたいから教えてもらうんでしょ！」「それって逆でしょ！」と思うかもしれませんが、教えるために学ぶとき、習得度や成長は最も高くなります。

私が経験してきた事例から考えると、その違いは実に普通に学ぶ時の5倍以上だと思います。

学んでから事を起こすよりも、まずはやってみることです。

オンラインサロンオーナーになることで、あなたが本当に好きなことを、最短でより深く学ぶことができ、あなたは最も成長が得られるでしょう。

8 最高の仲間を得ることができる！

オンラインサロンオーナーになることの最大のメリットとは何か。

それは、「最高の仲間を得ることができる」ということです。

サロンオーナーは、自分がワクワクすることを発信し、多くの人に喜ばれ、一生の仲間をつくりながらともに成長していくコミュニティをつくっていくことができます。

私自身も、オンラインサロンを通じてさまざまな経験をさせてもらっています。
大変なこともいろいろありましたが、サロンメンバーから多くの気づきをもらい、今まで得られなかった、ともに成長していける最高の仲間をたくさんつくることができました。

もっと本格的にオンラインサロンを始めたい方へは
１４２ページより特典動画を無料プレゼントしています。

創造主（クリエイター視点）で生きる

誰もが主人公になれる場

実は、オンラインサロンというのは、誰もが主人公になれる場でもあります。

オンラインサロン内のイベントは、イベントの参加チケットよりも、運営スタッフの権利付きチケットのほうが早く売り切れてしまいます。

一般のイベントと異なり、オンライサロンでは、チケット代を払い、ボランティアとして無償でもいいので何か手伝いたい人のほうが、ただ参加するだけの人より多いのです。

情報を受け取る側だけでなく、自分が発信する側になりたい、そんな1人ひとりが主人公になれる場を提供する、それがオンラインサロンなのです。

現在、リアルの場では、そういった『主人公になる』『自分が活躍できる場所』というのは、少なくなっています。

特に趣味・嗜好、そういった細かいニーズにぴったりなものが、リアルに、近場にあるかというと、なかなかそういうのもないと思います。

そういった意味で、オンラインサロンという中に、自分を表現する場所、主人公になれる場所というのが実は求められているのではないかと思います。

創造主（クリエイター）へ

自分も提供する側、クリエイトする側になりたいというのが、多くの方が持っているニーズです。

創造主の視点で見ると、私は『人生ゲームの3つの視点』というものに例えて言っています。

それでは、人生ゲームに例えた3つの視点についてお話しします。

1つ目は『人生ゲームの登場人物であるキャラクターの視点』。

この視点では、自分自身をこの世界の脇役、サブキャラのような世界観で生きています。

その時、情報は能動的に受け取るだけのものであり、アウトプットはせずインプットだけとなり、情報の発信者となることはありません。

人生ゲームのキャラクターの視点、単なる登場人物（サブキャラ）みたいものです。

これは能動的な生き方です。

2つ目は『人生ゲームの主人公として生きる視点』です。

この視点では、自らがこの世界の主人公として主体的に生きはじめます。

そして、情報は自ら取りにいき、また情報の発信も行います。

オンラインサロンに入る方は、この視点にいます。

オンランサロンを通じて、自らも主人公として情報を受け取るだけでなく、自ら主体的に意見を述べたり、交流をしたり、プロジェクトに関わったりする、それが主体的な生き方であるこの主人公の視点になります。

人生ゲームの主人公、あなたがこの世界の主人公であるという生き方です。

3つ目は、『創造主の視点』です。

オンラインサロンにおいて、自らプロジェクトを提案したり、分科会や各部活動を立ち上げたりする人たちです。

また、自らオンラインサロンを立ち上げた人たちもこちらに含まれます。

要するに、世界を創ることができるわけです。

人生において、私は創造主として生きることをお勧めしています。

この世界が自ら創造した世界で、そのことを忘れて主人公として楽しんでいるのだとしたら、この創造主の視点、神の視点を持ったとき、人は初めてこの世界に見える出来事に不平不満を言うのをやめ、すべてに責任を持つことができます。

そして、ただ楽しむことができるようになるのです。

あなたはこの世界の主人公であり、創造主です。

ぜひ、最大限に世界を楽しんでください。


オンラインサロンを、この人生ゲームの３つの視点で見るならば、まったく違った見え方になるでしょう。

ぜひ、主人公であり、さらにはクリエーター視点でオンラインサロンを楽しんでみてください。

より一層、深い楽しみ方があると思います。

次元《ステージ》を上げる！
人生ゲームの3つの視点

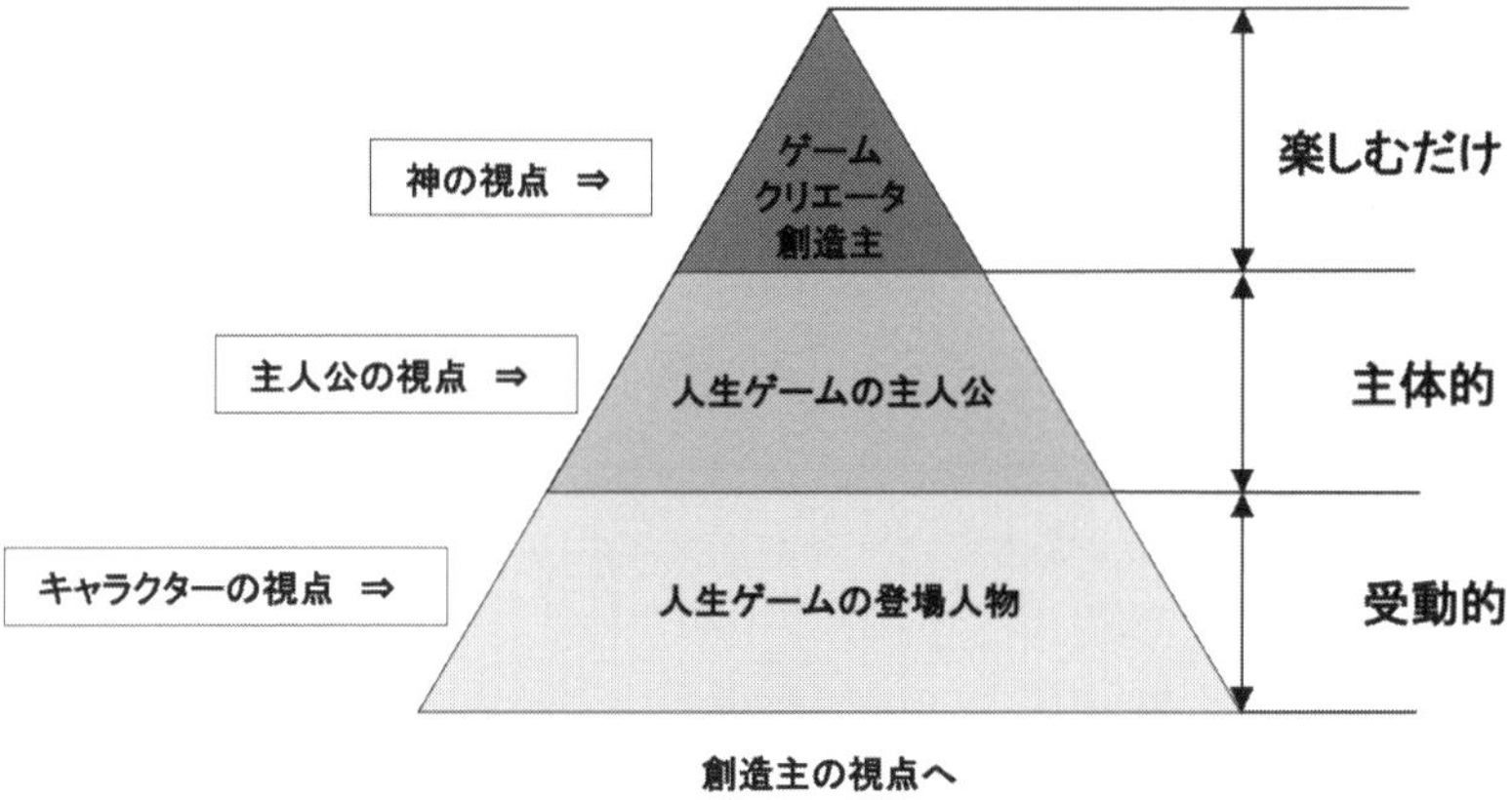

おわりに

リアルの人間関係が苦手だった私は、オンライン上のコミュニケーションに強く惹かれました。

1997年に会社を起こした時、仕事はリモートワークにし、会社のメンバーもオンライン上で働ける人だけにしました。

仕事や趣味のコミュニティも、オンライン上に創りました。

今思えば、それがオンラインサロンの原型だったのかもしれません。

現在、会員数が4000名近いオンラインサロンを運営し、1万人規模のサロンのサポートを行う中で、私自身たくさんの気づきがあり、オンライン上の仲間もたくさんできました。

自分の趣味・趣向に合う者同士が、エリアを越えて繋がる理想のコミュニティであるオンラインサロン。

そこでは、夢をカタチにする人も増えています。

オンラインサロンは、これからもっと拡大し、より成熟していくはずです。

会社や学校では味わえなかったかもしれない、ありのままの自分が出せる、オンライン上の心地よい場所。

あなたも、まずは体験してみてください。

きっと、新たな自分を発見するきっかけとなることでしょう。


市村よしなり。

【用語集】

Facebookグループ

世界27億人が利用する最大規模のSNSである『Facebook』におけるグループ機能のこと。趣味やビジネスなどの共通のテーマをもとにメンバーを集め、情報を共有したり交流したりできるツール。オンラインサロンの多くが、この機能を使っている。

ビジネスネーム

仕事やオンラインサロン上で使用する、本名とは別の名前。その人のことをイメージしやすく印象に残すため、個人を特定されたくないときなどの目的で用いられる。

友達申請・フォロー

Facebookでのつながりの機能。友達申請した時やされた時は、承認をしていなくてもフォローになる。また、友達申請は出さずに、フォローだけすることもできる。オンラインサロンオーナーのフォローはしておこう。

分科会（部活・サークル）

オンラインサロン内で、エリア別や趣味や興味別の一種の部活動のこと。基本的にサロンメンバーは無料。コアな仲間をつくりやすい。

いいね！・コメント・シェア

Facebook などのＳＮＳでは、投稿に対して『いいね！』ボタンを押したり、コメントを書いたりすることで盛り上がる。オンラインサロンでは活発に使ってみよう。また、シェアという、その投稿を拡散する機能があるが、オンラインサロン内の情報はシェア禁止が基本なので、注意が必要となる。

スレッド

主に Facebook などで使われる、特定のテーマに対する投稿のこと。略称は（スレ）。各スレッドにコメントを投稿することで活発化し、そのスレッドは目立つ形で上に表示されることが多い。

レス

各コメントに対する返信や回答のコメントは、『レス』と呼ばれる。

タイムライン・ディスカッション

各投稿の一覧を表示できる場所。Facebookグループでは、ディスカッションという名称。個人ページでは、タイムラインやニュースフィードという名前で呼ばれる。

アナウンス

Facebookグループの項目。オンラインサロンで開催するイベントや、サロン運営側が重要だと思う記事が表示される。

ROM専

コメントを書き込むことなく、見ているだけの状態の人（リスナー）を指す用語。ROMは「Read Only Member」（リードオンリーメンバー）の略でロムと読む。専は「専門」で、これらの用語を組み合わせた造語。

イベント

オンラインサロン内で開催するイベント。オンラインやリアルでのイベントがある。Facebookグループの中にも、イベントという項目があり、そこに掲載されることが多い。

オンラインミーティング

インターネットを使った電子会議のこと。近年オンラインサロンでは、Ｚｏｏｍなどのオンラインミーティング用ツールが盛んに使われている。

Ｚｏｏｍ

世界最大規模のオンラインミーティング用ツール。無料でスマホやパソコンで使用でき、オンラインサロンで行われるオンラインミーティングやイベントにもっとも使われている。

オンライン飲み会

『オンライン飲み会』とは、ビデオ通話を繋ぎながらお酒を飲んだり、お話をしたりして楽しむこと。主にZoomやLINEなどが使われている。

グループコンサル

少人数のグループで行うコンサルティング。オンラインサロンでは、サロンオーナーとメンバーが、「1対多」のオンラインコンサルティング（問題解決やアドバイス）などでよく行われている。

サブスク

サブスクリプション（subscription）の略で、サービスを一定額で利用できるような仕組みのこと。オンラインサロンも基本的に、会費が継続課金として徴収される。

鍵アカ

鍵付きアカウントの略で、主にTwitter（ツイッター）やInstagram（インスタグラム）などのSNSで見られる非公開アカウントのこと。オンラインサロンメンバー限定の鍵付きアカウント利用などを行うサロンも増えている。

PayPal

世界最大級のオンライン決済サービス。クレジットカード上での継続課金に用いるサロンも多い。銀行振込にも一部対応している。

マルチポスト

同一の内容の文章を、複数のグループやスレットに別の記事として投稿すること。基本的にオンラインサロンでは禁止行為となる。

炎上

ネットでいう『炎上』とは、主に悪い意味での出来事をきっかけにあっという間にそれが多数の人たちに拡散され、非難や批判や罵詈雑言などが本人または関係者のブログであったり、Twitter、Facebookなどに向けられて発せられる状態のこと。『お祭り』と表現される場合もある。

スパム

迷惑メールを不特定多数に送りつけたり、関係ない書き込みを頻繁に行ったりするなど、各サイトの運営者や受け取った個人の迷惑となる行為全般を指し、『スパム』や『スパム行為』と表記される。

BAN

インターネット上では、悪質ユーザーを排除するための措置の意味で使われる。
例：オンラインサロン上での迷惑行為によって強制退会（BAN）された。

荒らし

誹謗・中傷といった書き込みを連投など、そのサービスやスペースが通常の状態を維持できない状態にするような、場を荒らす行為。

釣り

掲示板やSNSなどで、見た人が反感を持ったり騙されたりするような内容を書き込むこと。

ソース

情報源や根拠のこと。

ネガキャン

『ネガティブキャンペーン』の略語。対立する人物・物に対して誹謗・中傷をして自分を高く見せようとすること。

エモい

感情を動かされること。

注目のオンラインサロンTOP10

西野亮廣エンタメ研究所

内容：西野亮廣の考え方や様々なプロジェクトへ取り組んでいる様子を眺めたり、時には一緒に参加したりする会員制コミュニケーションサロン
月額料金：1000円（税込）
会員数：74393人（2021年2月1日時点）
運営者：西野亮廣（ニシノアキヒロ）
プラットフォーム：Facebookグループ（Salon.jp）

お笑い芸人であり、絵本作家でもある、キングコング西野亮廣さんが運営する、西野亮廣エンタメ研究所の会員数はなんと7万人超えとなっており、この会員数は有料オンラインサロンの中でもダントツの1位を記録しています。

西野亮廣エンタメ研究所のメリット5つ

①西野さんのビジネス論を学べる
②貴重なプロジェクトに参加できるチャンスがある
③エンタメ制作の裏側を見られる
④オフ会で様々な人と繋がれる
⑤県人会が有事の際の支援に役立つ

西野亮廣エンタメ研究所がオススメできる人

・西野さんの考え方を学びたい人
・西野さんの制作する絵本や作品の世界観が好きな人
・時代の流れをいちはやくキャッチしたい人

本田健オンラインサロン

内容：本田健さん主催の会員制オンラインサロン
月額料金：９８０円
会員数：６７２３人（２０２１年２月１日時点）
運営者：本田健
開催場所：オンライン
プラットフォーム：Facebook グループ

８００万部を超えるベストセラー作家、本田健の主催するオンラインサロン。
日本のオンラインサロンの中でも絶大な人気を誇るサロンです。
本田健さんの著書のファンや考え方に興味がある方など様々な方が参加されています。

本田健オンラインサロンのメリット５つ

①本田健さんから学ぶことができる

②本田健さんに人生相談ができる
③新しい時代を先読みした情報がいち早く手に入る
④世界で活躍する人の思考を学ぶことができる
⑤学びたい分野の深掘りや情報共有がサロンメンバーとできる

本田健オンラインサロンがオススメできる人

・本田健さんの最新の考えや発信に興味関心がある人
・人生をより良くしたい人
・世界各国の著名人の有益情報を得たい人
・新しい世界の動きをいち早くキャッチしたい人
・サロンメンバーと一緒に成長していきたい人

人生逃げ切りサロン

内容：なるべく無駄な努力を省いて人生効率的に生きる為の稼ぎ方、手法を公開。
月額料金：２２００円（今後値上がり予定）
会員数：４４９７人（２０２１年２月１日時点）
運営者：やまもとりゅうけん
プラットフォーム：Facebook、slack

Youtuber でもあり実業家のやまもとりゅうけんさんが主催するオンラインサロン「人生逃げ切りサロン」。

個人が稼いで人生を逃げ切るというのがコンセプトのオンラインサロンです。

やまもとりゅうけんさん自身が今までしてきたプログラミング、ブログ、YouTube などに加え、ネット物販、資産運用、ＦＸなど副業に関する有益な情報を得ることができます。

人生逃げ切りサロンのメリット5つ

①実績のある人の声が直で聞ける
②副業に関する有益情報が多数
③仕事を振ってもらえるかもしれない
④交流が盛ん
⑤サロンメンバーと共に頑張れる

人生逃げ切りサロンがオススメできる人

・未経験からブログ、FX、せどり、プログラミング、仮想通貨を学びたい人
・低価格な月額で多い情報を取り入れたい人
・とにかく人生逃げ切りたい人

デザインアトリエ　カケラ

内容：宝石のカケラを配ったり、新たな使い道を考えたり、宝石を通してデザイン活動をするコミュニティです。
月額料金：Facebook のコミュニティへの参加は無料。宝石購入は１０００円～１００００円（宝石の大きさや形状によって異なる）
会員数：４９８１人（２０２１年２月１日時点）
運営者：Keisuke Imamura
開催場所：オンライン
プラットフォーム：CAMPFIRE Community、Facebook グループ、ブログ

デザインアトリエ　カケラは、宝石を仕入れたり、加工したりする際に欠けや傷がついてしまった宝石のカケラを取り扱っているオンラインサロンです。
宝石に欠けや傷がついてはいますが、本来なら指輪やペンダントなどのジュエリーに使われる予定の宝石であるため、輝きは本物です。そんな本来なら処分されるはずの宝石の

カケラを再利用しているのが、デザインアトリエ カケラです。

デザインアトリエ カケラのメリット5つ

①お手軽価格で宝石のカケラが毎月配られる
②コミュニティ内限定で卸価格で宝石を入手できる
③コミュニティで再利用した作品を共有できる
④Facebook コミュニティ内で繋がりを持てる
⑤宝石についての知識が深まる

デザインアトリエ カケラがオススメできる人

・宝石がお好きな方
・宝石を集めるのがお好きな方
・ハンドメイドなどがお好きな方
・鑑賞用の宝石を求めている方
・宝石を安く入手したい方

・宝石好きが集うコミュニティを探している

スターシードオンラインサロン

内容：地球的な枠を超え、宇宙的な価値観で生きる人たちのコミュニティ
月額料金：３３３３円（税抜） 年契約だと毎月２２２２円
会員数：３７２４人（２０２０年12月1日時点）
運営者：akiko（サロンオーナー）、YOSHI（運営メンバー）
プラットフォーム：Facebookグループ

宇宙由来の魂スターシードが集まるオンラインサロン。その名も、スターシードオンラインサロン。

数多くあるオンラインサロンの中でも、その独特の雰囲気からひときわ異彩を放っているのが、このスターシードオンラインサロンではないでしょうか。今までの地球的な価値観を手放し、宇宙的な枠を超えた価値観で生きていきたい人にオススメです。

スターシードオンラインサロンのメリッ5つ

①宇宙的な価値観を持つ人同士で交流することができる
②オンラインミーティングに参加できる
③30以上ある分科会に無料で参加できる。
④宇宙系フリマに無料で出品することができる
⑤サロンオーナーのakikoさんと直接交流することができる

スターシードオンラインサロンがオススメできる人

・地球的な枠を超えた生き方をしたい人
・スピリチュアルなことに興味がある人
・自分は宇宙由来の魂を持つスターシードである、もしくはスターシードかもしれないと思っている人

PROGRESS

内容：中田敦彦による情報発信。YouTuber の養成、交流。
月額料金：９８０円
会員数：３５５７人ほど（２０２０年12月１日時点）
運営者：中田敦彦
プラットフォーム：Facebook グループ、zoom

お笑い芸人「オリエンタルラジオ」としてデビューし、現在は芸能活動だけでなく、教育系 YouTuber など幅広い分野で活躍している、中田敦彦さんが運営するオンラインサロンです。

PROGRESS のメリット５つ

①YouTube 大学の観覧と参加ができる
②中田敦彦さんによる生配信が毎日見れる

③月額料金が980円と割安
④ZOOM 交流会に参加できる
⑤YouTuber 養成所で学べる

HIU 堀江貴文イノベーション大学校

内容：ビジネスも遊びもやりたい事をカタチにする場所
月額料金：11000円
会員数：1051人（2021年2月1日時点）
運営者：堀江貴文
プラットフォーム：DMMオンラインサロン

HIUは堀江貴文さんが主催するオンラインサロンで、とにかく全力で人生を楽しみたい人に向けてのイベントや主体的に活動できるような場所が提供されています。まだオンラインサロンが世間に認知されていない2014年から始まる老舗オンラインサロンです。

ホリエモンのオンラインサロン（ＨＩＵ）のメリット５つ

①これまでとは違った新しい体験ができる
②ホリエモンの発信するビジネス最新情報を得る事ができる
③イベントで有名人に会えるチャンス
④豪華な合宿イベントなども楽しめる
⑤プロジェクトを企画したり運営スタッフになることもできる

アニキリゾートライフ

内容：丸尾孝俊さんの人生哲学が学べるオンラインサロン
月額料金：１３５０円
会員数：２８１７人（２０２１年2月1日時点）
運営者：丸尾孝俊
プラットフォーム：Facebook グループ

アニキリゾートライフのメリット5つ

①アニキのライブ配信が見れる
②アニキの人生哲学を学べる
③アニキに質問できる
④抽選でバリ島小旅行が当たる
⑤オフ会に参加できる

落合陽一塾

内容：落合陽一と共に学び、議論をする
月額料金：１１０００円
会員数：４０３人（２０２１年2月1日時点）
運営者：落合陽一
プラットフォーム：Facebook グループ・ZOOM・ＤＭＭオンラインサロン

落合陽一塾のメリット５つ

①タイミングが合えば落合陽一本人と話ができる
②最新の情報に触れることができる
③議論の場が設けられている
④オフ会や生配信が豪華
⑤書籍やメディアでは触れられないコンテンツを楽しめる

メモ魔塾

内容：全国どこでも誰とでも気軽に自主性を持ち、ゆるっと繋がる
月額料金：無料（※『メモの魔力』を購入することが条件）
会員数：１２１０２人（２０２１年２月１日時点）
運営者：前田裕二
プラットフォーム：Facebook グループ、チャットワーク、DMM.com など

メモ魔塾のメリット5つ

①『メモの魔力』を購入することで入会が可能
②グループ・ゼミが豊富
③前田さんの投稿を見ることができる
④技術を身につけることができる
⑤たくさんの人と関わることができる

著者プロフィール

市村よしなり。（いちむら・よしなり）

小学生で起業。IT コンサルタント。

10 歳で、父の会社の倒産による、一家夜逃げを経験。
小学生時代から、ゲームプログラムにより賞金を稼ぐ。

1997 年より IT コンサルティング事業を開始。
累計５万人以上のオンラインサロンとメンバーのサポートをしている。

日本やシンガポールで複数の法人を運営し、
コンサルティングによるクライアントの売上アップは累計 2000 億円を超える。

著書に『売れる！魔法のアイデア７パターン 39 の法則』（Clover 出版）
『人生で大切なことはみんな RPG で教わった』（バジリコ）
『こもる力』（KADOKAWA）
『AI 時代の天才の育て方』（きずな出版）
などがある。

一番やさしい
オンラインサロンの教科書【2021年版】

2021 年 5 月 10 日　初版第 1 刷発行

著　　者／市村よしなり。
発 行 者／赤井　仁
発 行 所／ゴマブックス株式会社
〒 106-0032
東京都港区六本木三丁目 16 番 26 号
ハリファックスビル８階
印刷・製本／日本ハイコム株式会社
D　T　P／平林隆一郎

ISBN978-4-8149-2244-4